청개구리는
울보 너튜버

옛이야기 이어쓰기

청개구리는 울보 너튜버

발 행 일 2024년 1월 23일

지 은 이 권화숙, 김기선, 남궁기순, 류락희, 박경숙
신재림, 이서미, 이의희, 장지연, 차은주

기획관리 권숙희, 김기선

마 케 팅 박경숙, 이정아

편집총괄 장명화

펴 낸 이 남궁기순 펴낸곳 상상나래 등록번호 제2022-000051호

주 소 서울시 강동구 동남로81길 96, 501호

대표전화 02-441-7682

이 메 일 sangsangnarae@ssnbooks.com

ISBN 979-11-7195-012-6 73810

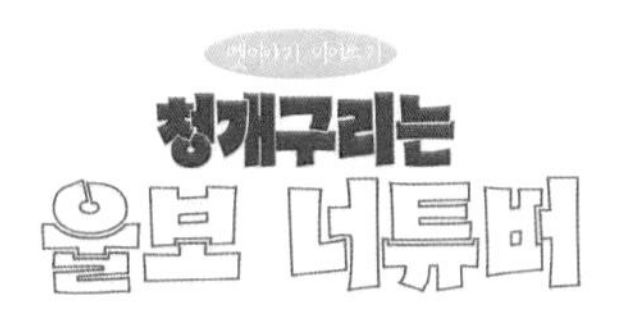

상상나래
Book Publishers

| Prologue |

옛이야기는
인류의 삶을 촉촉이 적시는 영원한 샘이다.
-그림 형제-

오랜 세월이 흐르고 세대가 바뀌어도 가치가 사라지지 않는 귀한 보물이 옛이야기라고 합니다. 옛날이야기라고 하면 구수하고 웃음이 절로 나는 재미난 이야기들이 몇 가지는 떠오를 것입니다. 옛날이야기를 듣고 자라지 않은 어린이들은 없으니까요!

옛이야기는 재미와 가치가 있기에 오랜 세월 사랑받는 문화 콘텐츠라고 생각합니다. 평범하고 알 듯한 이야기도 전해지는 과정에서 '자동 필터링' 작용을 하고 삶에 녹아나는 스토리로 남는 것이겠지요. 그림 형제는 옛이야기의 지혜와 재치를 전달하고 문학적 가치, 소중한 문화유산으로서의 가치를 이야기합니다. 옛이야기의 놀라운 가치가 오늘날까지도 많은 어린이들의 사랑을 받는 이유겠지요.

옛이야기 10편의 이어쓰기는 작가들에게는 새로운 도전이었고 즐거움이었습니다. 옛이야기의 감정을 살리면서 새롭고 즐겁게 창조해 낸다는 것은 어린이의 마음을 이해하고 사랑하기 때문에 가능한 일이었습니다. 공저 작가님들은 현장에서 어린이들에게 문학을 가르치거나 아이들을 키우면서 깨닫고, 들려주고 싶었던 이야기를 참신한 플롯으로 만들어냈습니다.

듣고 또 들어도 재미있게 빠져들어 읽고 싶은 책!
『청개구리는 울보 너튜버』
10명의 작가들의 노고가 깊이 느껴지는 옛이야기, 어린이를 위한 소중한 가치를 담아낸 10가지 스토리를 소개합니다.

할아버지에게 은혜를 갚은 느티나무 이야기가 "느티나무와 방귀쟁이 아이"로 바뀌어 따뜻한 우정 이야기를 만들었고, "오누이를 따라간 호중이"는 해와 달을 모티브로 한 환경에 대한 이야기가 전개됩니다. "콩쥐의 소문 들어 봤어?"는 권선징악의 의미를 강조하며 착한 콩쥐의 새로운 삶을 이야기합니다. 호랑이와 곶감은 지금도 어린이들에게 많은 사랑을 받는 작품이지요. 이 작품은 "곶감을 먹으려면"으로 곶감을 더 먹기 위해 착한 호랑이로 살아가는 이야기입니다. 잘 알려진 흥부와 놀부 이야기는 "제비 왕국에 간 놀부"로 전개되어 제비들에게 잡혀 제비 왕국에 간 놀부 부부 이야기로 흥미를 더합니다. 플랜더스의 개가 "파트라슈와 기적의 이야기"로 파트라슈가 꿈꾸었던 '희망'이라는 단어를 떠올리며 잔잔한 감동을 줍니다. 개미와 베짱이는 "신 개미와 베짱이"로 여름 내내 노래 부르던 베짱이의 이야기가 '관계'라는 소중한 의미를 찾아가는 이야기로 만들어졌습니다. 잘 알고 있던 청개구리 이야기가 "청개구리는 울보 너튜버"로 재탄생하여 삶을 개선해 나가는 청개구리 너튜버의 모습이 현재 시대의 어린이들에게 공감을 줄 수 있는 이야기입니다. 똥벼락 이야기는 "똥벼락보다 무서운 물벼락" 이야기로 욕심 많은 김부자를 통해 선하게 살아야 한다는 인생의 교훈을 주는 이야기입니다.

옛이야기는 잠자리 동화로 들려주고, 놀이하다 지칠 때 쉬어가는 읽기 동화로 부모와 어린이, 어린이와 어린이들이 서로 소통하는 통로가 되는 시간이 될 수 있습니다.
"전해져라, 전해져라. 술술 전해져라! 수리수리 마수리!"

옛이야기가 입을 통해 전해지고 이어져서 읽고 싶은 이야기, 감동을 주는 이야기, 마음을 바꾸는 이야기, 재미와 위트를 배우는 이야기로 계속 쓰여지고 전달되기를 기대해 봅니다.

이 이야기를 듣고 전하는 많은 분들이 마음이 훈훈해지고 행복해지는 시간이 되시길 빕니다. 옛이야기 이어쓰기 동화책을 읽고 새로운 마음이 생겨 용기가 나는 어린이가 되었으면 좋겠습니다.

긴 여정을 함께 할 제,
꼭 필요한 건 정보가 아니라 정서적 친밀감이다.
함께 웃고 함께 웃으면서
매 순간 새로운 관계를 구성할 수 있는 교감 능력 말이다.
- 열하일기, 박지원-

겨울 함박눈과 가족들의 웃음소리가 퍼지던 날
나래PBL교육연구소 소장 남궁기순

| 추천사 |

새벽까지 원고를 읽고, 잠들지 않은 옛이야기의 주인공들을 다시 만나는 시간 동안 행복했습니다.

내 어린 시절, 접혀진 추억들이 하나씩 책장을 따라 펼쳐지고, 나와 같은 어른들과, 어린이들이 다를 바 없이, 책 속을 여행하는 동안 티 없고 순수한 맑은 영혼들이 살아나 기쁘게 책장을 넘기며 평화롭고 지혜로운 시간을 선물 받을 것 같습니다.

옛이야기를 읽던 어린 시절 독서지도를 제대로 받아 본 적 없는 나로서는, 독서지도를 하는 입장에서 다양하게 책을 대하는 방법들을 나누며, 이야기가 살아나고, 풍성해집니다. 상상력과 창의력, 발표력 등이 커지는 책 읽기를 하는 동안 『청개구리는 울보 너튜버』는 이야기가 끝나는 시점에서 또 다른 이야기가 시작된다는 점이 흥미로웠습니다. 마음껏 상상을 펼칠 수 있는 시간 동안 행복했습니다.

옛이야기 이어쓰기 『청개구리는 울보 너튜버』를 읽는 동안 이미 알고 있던 옛이야기가 새롭게 시작되는 구성 덕분에 무한한 상상력을 동원한 옛이야기들이 다시 살아나는 경이로운 경험을 했습니다.

'느티나무와 방귀쟁이 아이'에서 아름다운 노래를 기억하게 되고, '오누이를 따라간 호중이'를 보며 사람됨의 도리와 지구 살리기를 실천할 수 있게 되고, 여전히 착하고 바른 삶을 안내하는 '콩쥐의 소문을 들어봤어?', 지혜로운 엄마가 아기를 지켜내는 '곶감을 먹으려면', 바르고 착한 삶을 살아 복을 받게 된 '제비 왕국에 간 놀부', 아름다운 꿈을 이루어낸 '파트라슈와 기적의 이야기, 개미와 베짱이의 성실하고 멋진 삶으로 주변이 행복해지는 '신 개미와 배짱이', 서로 돕고 함께 행복하게 살아가는 아름다운 '거북이랑 토끼랑', 김부자의 욕심으로 귀결되는 결말을 다룬 '똥벼락보다 무서운 물벼락'.

10편의 옛이야기 이어쓰기 작품들이 어린이들에게 행복한 책 속 여행이 되기를 응원합니다.

문학박사, 도서출판한림당 대표 정명자

| 추천사 |

몇 년 전 소파 방정환 선생님에 대하여 연구해야 할 일이 있었습니다. 그래서 이런 저런 자료를 찾아 보다가 다새쓰라는 행사가 있어서 참관하게 되었습니다. 방정환 선생님의 작품을 현시대에 맞게 다시 쓰는 행사였습니다. 그 행사를 참관하면서 '다새쓰' 참 좋은 방법을 찾았다는 생각을 했었습니다.

〈옛이야기 이어쓰기〉는 또 다른 방향, 더 좋은 방향을 찾은 책인 것 같습니다. 한마디로 옛이야기를 모티브로 삼았지만 새로운 이야기를 전개해 냄으로써 더 넓은 시야를 갖도록 하는 창작품을 실은 책입니다.

옛이야기는 오랜 삶에서 검증된 스토리인데, 이를 모티브로 하여 시대에 맞게 이어 쓴 이 책은 읽는 이에게 참으로 선한 영향력을 미칠 수 있을 것이라 생각 듭니다.

전래이야기를 다시 쓰는 작업은 참 훌륭한 일이라는 걸 이 책을 읽으면서 깊이 느꼈습니다.

왜냐하면 〈전래이야기 이어쓰기〉는 전래이야기의 깊은 공감력을 가져오면서 재미있게 또 새롭게 발전된 이야기를 전개해 내고 있기 때문입니다. 이야기 전개도 재미있고 구조도 탄탄해서 읽으면서 깊이 감동하게 합니다.

책에 있는 작품을 한 예를 들면 '파트라슈와 기적의 이야기' 같은 경우 파트라슈의 이야기를 기저로 깔고 있어서 혹 이 파트라슈의 이야기를 살짝 잊었던 사람도 이야기의 전체 구성을 눈치채도록 해 줄 뿐만 아니라(이는 이 책의 모든 이야기가 그렇습니다.), 죽음으로 끝났던 원전을 깨고 파트라슈와 넬로를 살리는 장면도 감동적으로 그렸고, 또 살아난 후 둘의 삶을 정말 아름답고 기적같은 기쁨을 주는 이야기로 구성하였습니다. 결국 원전을 기억하며 또 새로운 전개의 새로운 이야기를 읽는 두 배의 효과, 그 좋은 효과를 통해 두 배로 감동을 주는 결과를 낳는 이야기가 이번에 출판되는 〈전래이야기 이어쓰기〉입니다.

전래이야기는 아이들의 성장 과정에서 꼭 읽고 지나가야 하는 이야기입니다. 권선징악과 환상성을 지닌 이야기를 통해 좋은 가치관이 키워지기 때문입니다. 그런데 〈전래이야기 이어쓰기〉 책은 그 이야기를 현실에 맞게 재조명하며 더욱 구조를 탄탄하게 해서 감동을 주는 이야기로 구성되어 있기 때문에, 이 책은 자라나는 아이들에게 옛이야기를 재미있게 읽도록 도와주고 또 좋은 영향력을 미칠 것입니다.

어른인데도 다시 읽고 싶은 간질간질한 마음을 느끼게 해 주는 이야기 들이었습니다. 또 좋은 이야기를 통해 기쁨을 누리며 이 책을 읽었습니다.

이야기를 통해 행복을 느끼는 황정순

| CONTENTS |

| 나에게 특별한 한 권의 고전 작품 |

이규보의 〈슬견설 蝨犬說〉

달팽이의 뿔을 쇠뿔과 같이 보고, 메추리를 대붕(大鵬)과 동일시하도록 해보십시오. 연후에 나는 당신과 함께 도(道)를 이야기하겠습니다.

느티나무와 방귀쟁이 아이

글. 권화숙 그림. 강민규

|저자소개| 문학박사, 국어학 및 한국어교육, 다문화교육 전문가
(현)세명대학교 교수, 문화콘텐츠 기획자, 문인화 작가
경상북도 문화재위원회 전문위원, 충청북도 지명위원회 전문위원
한국언어문화교육학회·이중언어학회·한국국제문화교류학회 이사

|저서|
공저 〈인공지능시대의 인문학과 예술적 상상력〉
〈중학생이 꼬옥 읽어야 할 수필〉
〈KBS 한국어능력시험〉 외

|작품소개| 할아버지에게 은혜를 갚은 느티나무 총각은 어떻게 되었을까요? 오랫동안 마을 사람들의 쉼터가 되어 준 느티나무. 하지만 마을이 개발되면서 느티나무를 찾던 사람들의 발길은 점점 뜸해지게 되었어요. 어느 날, 사람들을 그리워하는 느티나무를 찾아온 아이가 있었어요. 노래만 하려고 하면 방귀가 나오는 아이. 느티나무와 방귀쟁이 아이의 마음이 따뜻해지는 우정 이야기가 펼쳐집니다.

땔감이 될 뻔했던 느티나무 총각.
자신을 구해 준 마을 할아버지를 도와주었던
그 느티나무 총각은 어떻게 되었을까?

봄이 가고 여름이 가고 가을이 가고 겨울이 오고….

그러던 어느 추운 겨울날, 할아버지가 땔감이 될 뻔했던 느티나무 총각을 구해 주었던 그날처럼 몹시도 추운 겨울날에 할아버지는 그만 하늘나라로 소풍을 떠나시고 말았어. 느티나무는 할아버지를 생각하면서 하루하루를 보냈어. 자신을 구해 준 할아버지의 고마움을 생각하며 봄이면 나뭇가지에 눈을 틔우고 여름이면 초록빛 그늘로 사람들에게 쉴 그늘을 만들어 주었어. 가을이면 예쁜 단풍으로 사람들의 눈과 마음을 즐겁게 해 주었고 겨울이면 가지에 쌓인 눈으로 멋진 풍경을 마을 사람들에게 선사해 주었지.

마을 사람들이 시내에 나가거나 버스를 타러 갈 때면 이 느티나무를 지나가게 돼. 느티나무가 동네 어귀의 작은 언덕에 있었거든.

사람들은 느티나무 밑에서 버스를 기다리기도 하고 할아버지들은 자리를 깔고 바둑을 두기도 했어. 느티나무는 사람들을 만날 때면 늘 신이 나서 잎을 살랑살랑 흔들며 반가운 인사를 하곤 했지. 학교를 마친 아이들이 떼를 지어 재잘거리며 지나갈 때면 느티나무는 사랑스런 눈빛으로 아이들을 내려다보곤 했지.

느티나무는 참새처럼 입을 쫑긋거리며 재잘거리는 아이들이 너무 사랑스러웠어. 아이들의 재잘거림이 느티나무에게는 신나는 노래처럼 들렸지.

"철수는 오늘 또 지각을 했대."

"나, 있지. 오늘 짝꿍이랑 말다툼을 했는데, 내 짝꿍이 말이야…."

"난, 산수가 너무 어려워. 그래서 싫어. 에잇, 숫자야 사라져 버려라. 얍!"

아이들이 재잘거리며 지나갈 때면 느티나무는 잎사귀들을 이쪽으로 흔들고 저쪽으로 흔들면서 아이들의 이야기에 귀를 기울였어. 아이들은 학교 수업이 끝나면 느티나무 밑에 와서 말타기도 하고 나뭇가지에 매달려 팔 힘 자랑도 하고 팔 그네를 타기도 했어. 느티나무는 너무 행복했지.

이렇게 느티나무는 마을 사람들의 쉼터가 되어 주고 아이들의 놀이터가 되어 주면서 언덕 그 자리에서 마을을 지켜주었어.

그렇게 시간은 또 흘러갔어.

느티나무가 있는 이 마을에도 큰 변화가 생기기 시작했어. 언덕 아래에 아파트가 들어서고 큰 학원도 생기고. 느티나무 아래에서 쉬어가던 사람들의 발길이 점점 뜸해진 건 이때부터야. 아파트를 오가는 마을버스 도로가 새로 만들어지면서 느티나무 언덕 아래 길에는 사람들이 거의 다니지 않게 된 거지. 그런데 말이야, 느티나무를 가장 슬프게 한 것이 뭔지 알아? 바로 새로 생긴 아파트에 큰 놀이터가 만들어지면서 느티나무는 더 이상 아이들의 재잘거림을 들을 수 없게 되었다는 거야. 더 이상 아이들의 팔 그네도 말타기도 볼 수 없게 된 느티나무는 언덕에 덩그러니 서서 슬픈 눈으로 멀리 놀이터에서 아이들이 깔깔대며 뛰어다니는 모습만 내려다볼 뿐이었어.

느티나무는 그렇게 마을 사람들을, 아이들을 그리워하며 쓸쓸한 나날을 보냈지. 그래서일까? 예전의 튼튼하던 팔다리는 점점 말라가고 거뭇거뭇한 얼굴에 좀이 슨 것처럼 잎은 얽어가고…. 이렇게 점점 느티나무는 생기를 잃어가고 있었어.

그러던 어느 날, 느티나무는 한 자그마한 아이가 언덕길을 올라오는 것을 보게 되었지.

'누굴까 저 아이는?'

'혹시 나에게 오는 걸까?'

아이들을 그리워하던 느티나무의 마음은 갑자기 설레기 시작했어. 가슴이 콩콩거리고 혹시나 하는 기대감에 숨이 가빠지기 시작했지.

아니나 다를까. 그 아이가 언덕을 올라 느티나무 앞으로 오는 거야.

'아이가 나를 만나러 오는 거였어!'

느티나무는 무척이나 반갑고 기뻤어. 그런데 참 이상하지? 그 아이는 기운이 다 빠진 듯 창백한 얼굴에 눈에는 눈물이 그렁그렁 맺힌 채로 한참 동안 느티나무를 올려다보고만 있는 거야.

'잉? 뭐 하는 거지?'

느티나무는 힘없이 자기를 쳐다보고 있는 그 아이를 가만히 내려다보았어. 아이는 한참 동안 느티나무를 쳐다보고 있다가 그냥 돌아갔지. 다음 날도 아이가 찾아왔어. 이번엔 느티나무 둥치를 손으로 쓰다듬으며 이렇게 말하는 거야.

"느티나무야, 너는 왜 여기 혼자 서 있어?"

"…."

"너도 친구가 없니? 나도 그런데. 아무도 나랑 놀아주질 않아. 나에게 말도 걸지 않고…."

"…."

이렇게 말하고 아이는 한참을 느티나무 아래에 앉아있다가 돌아갔어.

'아유, 딱해라. 저 아이에게 무슨 일이 있는 걸까?"

느티나무는 그 아이가 자신처럼 느껴져서 안쓰러웠어. 그리고 그 아이가 궁금해졌어.

'오늘도 그 아이가 올까?'

아이가 학교 수업을 마치는 시간이 가까워질수록 느티나무의 설렘은 커져만 갔어. 그 아이를 기다리는 시간이 행복했지. 아이는 매일 느티나무에게 와서 재잘재잘 학교에서 있었던 일들을 이야기했어.

"느티나무야, 오늘 나 선생님께 칭찬받았어. 기분 좋다. 히히!"

"느티나무야, 넌 참 좋겠다. 넌 숙제도 없지? 아, 숙제 없는 세상에 살고 싶어!"

"있지, 오늘 우리 반에 새로 전학 온 아이가 있는데 말이야…."

이야기를 할 때면 아이는 처음과는 달리 조금씩 웃기도 하고 그러다가 입술을 삐죽거리기도 했어. 그럴 때면 느티나무는 자신도 모르게 아이를 따라 입을 삐죽거리며 자신의 팔로 아이의 어깨를 어루만져 주었어. 느티나무는 아이가 너무 사랑스럽고 귀여웠어. 사랑스러운 참새 한 마리가 자신에게 선물로 날아와 준 것만 같았지.

그런데 참 신기하지? 아이를 만나게 되면서 느티나무는 점점 팔과 다리에 힘도 다시 생기고 잎도 더 생기가 돌고 몸의 기운이 살아나는 게 아니겠어? 이렇게 기운을 되찾은 느티나무는 아이와 행복한 시간을 보냈지.

그런데….

어느 날부터 아이가 느티나무를 찾아오지 않는 거야.

'무슨 일일까?'

'어디가 아픈 걸까?'

느티나무는 걱정스런 마음으로 하루하루를 보냈지.

"느티나무야, 안녕! 잘 있었어?"

아이의 목소리에 느티나무는 고개를 들었지.

"아, 반가워. 그동안 무슨 일이 있었니? 보고 싶었는데…."

아이는 느티나무의 말을 들었는지 못 들었는지, 울먹거리며 얘기하기 시작했어.

"느티나무야, 너무 속상해. 나는 노래만 하려고 하면 왜 자꾸 방귀가 나오는지 모르겠어. 안 그러려고 하는데도 나도 모르게 자꾸자꾸 뿡뿡."

"반 아이들이 방귀쟁이라고 막 놀린다! 나도 노래를 잘 부르고 싶은데 방귀 때문에 망했어."

"합창에 방해가 된다고 선생님께도 혼났어. 어떡하지? 난 노래하는 게 참 좋은데…….”

아이는 속상한 표정으로 입술을 오물거렸어.

“그렇구나. 노래만 하려고 하면 방귀가 자꾸 나오는구나. 왜 그럴까?”

느티나무의 말을 들은 채도 하지 않고 아이는 계속 재잘거렸어.

“사실, 며칠 동안 합창 연습하느라 여기도 못 온 거야.”

“그랬구나.”

“합창 대회가 다음 주인데 나 때문에 합창을 망치면 어쩌지? 또 방귀가 나오면 어쩌지?”

“….”

“방귀 때문에 난 친구도 없어. 다들 나를 놀리고 싫어해. 방귀 냄새가 난대.”

“….”

느티나무는 그제서야 알게 되었어. 아이가 왜 늘 혼자 언덕을 올라오는지, 왜 며칠 동안 찾아오지 않았는지.

“자자자, 이제 합창 대회가 얼마 남지 않았네요. 오늘도 수업 끝나고 한 시간 합창 연습이 있어요. 모두들 알겠지요?”

“으으으, 합창 대회가 빨리 지나갔으면 좋겠어.”

“나는 학원도 가야 하는데.”

"재 때문에 늘 연습이 늦어지잖아. 정말 짜증 나."

반 아이들 중 한 명이 말하자 아이는 얼굴이 홍당무처럼 빨개지고 숨이 할딱할딱. 어디론가 지구 밖으로 사라지고 싶은 마음만 들었지.

반 아이들이 교실 밖으로 나간 뒤에도 아이는 축 처진 어깨로 고개를 떨어뜨리고 멍하니 앉아만 있었어. 그때였어.

"얘, 우리 같이 노래 연습할까?"

두 눈을 말똥말똥 누군가 아이에게 이렇게 말하는 것이었어. 아이는 깜짝 놀라 고개를 들었지. 그런데 세상에, 파란 모자를 쓴 어떤 소년이 창틀에 기대앉아서 아이를 내려다보고 있지 않겠어?

"반가워. 오늘도 방귀 걱정이야?"

"어? 그걸 어떻게? 그런데 넌 누구야? 어디서 왔어?"

"흠, 글쎄. 한번 맞춰 봐."

고개를 갸우뚱거리며 한참을 생각하던 아이는 갑자기 얼굴이 환해지면서 말했어.

"혹시, 넌 그 느티나무? 맞아? 맞지, 맞지? 방귀 얘기는 느티나무에게만 했거든."

"그래 맞아. 난 느티나무 정령이야."

"정말이구나. 그 느티나무야. 그런데 여긴 어떻게 온 거야?

정말 신기하다!"

"난 정령이 되어 어디든 갈 수 있어. 너를 만나러 왔지. 이제 곧 합창 연습할 시간이네."

"아유, 또 걱정이야. 방귀 나올까 봐."

"그런데 넌 왜 노래만 하면 방귀가 나오지? 혹시 무슨 일이 있었던 거야?"

"으응, 그게 말이야, 음악 시간에 노래 시험을 보았는데, 너무 긴장이 되서 하필이면 그날 배가 아팠지 뭐야. 그래서 노래를 시작하자마자 방귀가 나온 거야. 선생님과 아이들 앞에서 말이야. 아이들이 많이 놀려댔지. 노래할 때면 그때 생각이 나면서 긴장이 되고 방귀가 자꾸 나와."

"그랬구나. 넌 노래할 때 긴장을 많이 한다는 얘기구나."

"맞아. 방귀가 나올까 봐 긴장을 하니 방귀가 더 나오는 것 같아."

아이는 속상한 듯 입술을 씰룩거렸다.

"그럼, 합창 연습할 때 내가 여기에 있을 테니까 예전에 내게 재잘거릴 때처럼 편한 마음을 갖도록 해 봐. 방귀가 나오면 그냥 시원하게 뀌어 버려. 뭐 어때. 나도 같이 붕붕 뀔게."

"정말?"

"그래."

그때였다. 밖에 나갔던 반 아이들이 왁자지껄 교실로 들어오자 아이는 소스라치게 놀라면서 소리쳤어.

"앗, 큰일이다. 느티나무야, 빨리 내려와."

"괜찮아. 나는 너에게만 보일 거야. 친구를 놀리는 못된 아이들의 눈에는 보이지 않아. 순하고 착한 마음을 가진 아이만 날 볼 수가 있지."

"와, 신기하다."

"노래를 편하게 부를 수 있게 되면 방귀도 안 나오게 될 거야. 넌 노래를 잘 부르잖아. 매일 조금씩 나와 같이 노래 연습을 해보는 건 어때? 방귀가 안 나올 때까지."

"응, 좋아."

선생님이 들어오고 합창 연습이 시작되었어. 느티나무는 창문틀에 기대어 아이가 노래하는 모습을 지켜봐 주었지.

"뿌우웅~"

아니나 다를까 아이의 방귀가 합창을 멈추게 했어.

"아유 정말. 아유 냄새."

"또 시작했어 또. 방귀쟁이!"

아이는 기가 죽어 느티나무를 힐끔 쳐다보았지. 느티나무는 아이를 향해 고개를 끄덕이며 말했어.

"괜찮아. 잘했어. 다시 힘을 내서 노래를 불러 봐. 나에게 얘기하듯이."

아이는 다시 노래를 불렀다. 느티나무에게 자기 얘기를 들려주듯이.

그때였어. 너무 신기한 일이 생겼지. 방귀가 안 나오는 거야. 아이는 믿어지지 않았어. 더 놀란 것은 반 아이들과 선생님이었지. 아이의 방귀 소리가 당연히 나올 거라 생각했거든. 아이는 자신을 얻어 큰 소리로 노래했어. 입도 크게 벌리고. 느티나무는 아이에게 눈을 찡긋하며 엄지척을 해 주었어.

"야, 오늘 합창은 아주 좋았어요. 우리 민규가 방귀에서 해방됐나 봐요. 민규가 이렇게 노래를 잘 하다니. 호호호."

선생님은 아이를 칭찬해 주었어.

"여러분들도 민규와 앞으로 호흡을 잘 맞춰 보도록 해요."

"네."

아이는 겸연쩍은 표정으로 반 아이들과 눈을 맞추었지. 반 아이들의 눈을 피하지 않고 이렇게 눈을 맞출 수 있게 되었어.

반 아이들은 예전과는 달리 아이에게 말을 걸어오기도 하고, 쉬는 시간에 같이 노래 연습을 하기도 했어. 아이는 이렇게 반 아이들과 점점 친해지게 되었어.

아이는 느티나무와 약속한 노래 연습을 하러 매일 언덕을 올랐어. 느티나무는 아이를 반기며 노래를 들어 주고 이상한 곳을 지적해 주기도 했지.

"여기선 쉬어야지. 아니 아니 여기선 목소리를 크게, 그렇지. 입을 많이 벌리고."

"표정을 밝게, 즐겁게 노래해 봐."

아이가 노래를 부르면 느티나무는 잎과 가지를 흔들며 함께 춤도 춰주고 노래도 따라 불러 주었어. 아이의 노래 실력이 점점 더 좋아졌음은 말할 필요가 없겠지?

이제 더 이상 합창할 때 방귀를 뀌지 않게 되고 평소보다 노래도 더 잘 부르게 된 아이에게 어느 날 짝꿍이 물었어. 그 짝꿍은 아이에게 질투가 났거든.

"너, 말해 봐. 갑자기 어떻게 된 거야? 이제 방귀도 안 뀌고 노래도 잘 부르게 되고?"

"음, 이건 비밀인데. 말할 수 없어."

"아이, 그러지 말고 말해 줘봐. 너무 신기해서 그래. 응응, 빨리 말해 줘."

"그렇게 궁금해? 히히, 사실은 그게 말이야…."

아이는 느티나무 정령 이야기를 짝꿍에게 해주었어. 교실에서 수업을 할 때도 노래를 부를 때도 늘 느티나무 정령이 함께 해 준다는 것을, 그리고 언제나 자기에게 용기를 준다는 것을.

"히야, 신기하다."

"지금도 저기 앉아 있는 걸. 우리 얘길 다 듣고 있잖아. 안 보이니?"

"어디? 어디? 난 안 보이는데?"

당연하지. 마음이 착하지 못한 아이에겐 정령은 보이지 않거든.

"느티나무 정령은 순수한 마음으로 다른 사람을 생각하는 마음을 가지게 되면 보일 거야."

"그렇구나."

그 후로 아이는 짝꿍과 느티나무 언덕을 올랐어. 함께 이야기하며 노래했지. 한 명씩 두 명씩 느티나무를 찾는 아이들이 늘어났어. 모여서 참새떼처럼 노래하기도 하고 학교에서 있었던 일을 느티나무에게 들려주었지. 아이들이 찾아오는 날이 많아질수록 느티나무의 잎은 더 푸르게 되고 가지는 더 힘껏 하늘을 향하였지. 느티나무는 행복했어.

시간이 흘러 아이는 어엿한 청년이 되었어. 그리고 많은 경험을 하기 위해 느티나무 언덕을 떠나 큰 도시로 갔어. 그리고 오랫동안 느티나무는 아이를 볼 수 없었지. 얽은 잎과 앙상한 가지로 언덕을 지키고 있을 뿐이었어. 아이와 함께 얘기하고 노래하던 시간들을 그리워하며.

봄이 가고 여름이 가고 가을, 겨울이 가고. 그렇게 시간은 또 흘러갔어.

그러던 어느 봄날이었지. 저 멀리서 누군가가 부르는 노랫소리가 언덕에 울려 퍼졌어.

내 어릴 적 작은 언덕 느티나무 친구♬♫
초록별 꿈꾸는 바람이 되어♫♪
방귀쟁이 그 아인 어디 있을까♪♩
바람이 되어 다시 찾은 작은 언덕 느티나무♬♫

느티나무는 눈을 감고 바람결을 타고 점점 더 가까이 들려오는 노랫소리에 귀를 기울였지. 느티나무의 눈에서는 어느새 따뜻한 두 줄기 눈물이 흘러내리고 있었어.

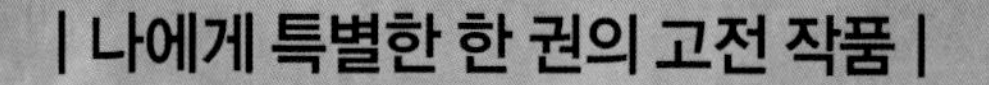

| 나에게 특별한 한 권의 고전 작품 |

토지 - 박경리 -

어떠한 역경을 겪더라도 생명은 아름다운 것이며 삶만큼 진실한 것은 없다. 비극과 희극, 행과 불행, 죽음과 탄생, 만남과 이별, 아름다움과 추악한 것, 환희와 비애, 희망과 절망, 요행과 불운, 그러한 모든 모순을 수용하고 껴안으며 사는 삶은 아름답다.

-박경리, 토지를 쓰던 세월 중에서-

오누이를 따라간 호중이

글. 김기선 그림. 강민규

|저자소개| 남서울대학교에서 아동문학박사 학위를 받고 아동문학가, 아동교육전문가로서 활동을 하고 있습니다.
저서로는 아동학 관련 교재 다수와
동화 〈한여름밤의 가출〉, 〈방구뿡 삼총사〉, 〈동구야 생일 축하해〉, 〈나는 할 수 있어〉, 〈타임머신이 아그작 아그작〉 동시집으로 〈꿈꾸는 산책〉, 〈모음 말놀이 동시집〉등이 있습니다.

|작품소개| 〈오누이를 따라간 호중이〉는 초등생들이 지구를 아끼고 사랑하는 마음을 어떻게 가지게 될까를 고민하다가 해와 달을 모티브로 창작했습니다.
오누이는 지구인을 용서하고, 지구를 어떻게 아끼고 가꾸어야 하는지 호중이를 매개로 이야기가 전개됩니다. 지금부터 어린이들이 지구를 아끼고 가꾼다면 후손에게 좋은 환경을 남겨줄 것입니다. 우리 주변을 늘 청결하게 청소하고 나무를 심어 최소한의 산소를 생산하도록 돕고 분리수거도 하고, 쓰레기는 아무 데나 버리지 않기 등 할 수 있는 일들을 스스로 몸에 배도록 한다면 우리 모두 건강해 질 수 있다는 것을 알 수 있는 작품입니다. 함께 동화를 읽으며 탐구해 볼까요?

"오빠! 빨리 피해."

"알았어 달아. 너 먼저 나무 위로 올라가."

"오빠, 빨리빨리 와!"

호랑이는 숲속에서 엄마를 잡아먹고 아이들을 잡아먹으려고 집으로 찾아갔어.

"이 녀석들! 너희들을 잡아먹어야겠어."

"안돼! 오빠 빨리 와!"

해남이는 나무 위로 올라갔어. 올라가면서 하느님께 기도를 했지.

'달이와 저를 구하시려거든 굵고 튼튼한 동아줄을 내려 주시고, 죽이시려거든 썩은 동아줄을 내려주세요.'

이렇게 기도를 하자 하늘에서 동아줄이 내려왔지. 해남이와 달이가 하늘에서 내려온 동아줄을 잡고 올라가고 있는데 호중이가 동아줄 끝을 잡은 거야. 과연 어떻게 되었을까?

"아 앗! 살려줘!"

하늘에서는 천둥번개가 치며 먹구름이 하늘을 뒤덮고 블랙홀이 나타났지.

블랙홀 속으로 해남이, 달이, 호중이는 순식간에 빨려 들어갔어.

"애 일어나, 어서 피해야 해. 빨리!"

누군가 호중이를 깨웠어.

"애 정신 차려! 아 악! 누구야?"

호중이는 간신히 얼굴을 들어 주변을 살펴보고 그만 정신을 잃어버리고 말았어. 검은 그림자는 호중이를 힘껏 끌고 숲속 밖으로 데려다 놓고 쓰러졌지.

'여기가 어디지? 나무들은 왜 저렇게 있지? 땅이 왜 움직인 거지?'

간신히 정신을 차린 호중이는 주변을 살펴보며 말했지! 그리고 자신의 옆에 잠들어 있는 사내아이를 발견했어.

"야! 넌 누구야?"

둘은 서로 보며 깜짝 놀랐지!

“난 영덕이. 네가 숲속에 쓰러져 있어서 죽을까 봐, 내가 밖으로 끌어냈어! 괜찮아?”

“응, 아파! 아파!”

“여기를 벗어나야 해! 일어나. 또 바닥이 흔들리고 나무가 쓰러져 불이 나고 있어, 어서 피하자.”

영덕의 말에 호중이도 영덕이를 따라서 달리기 시합을 하듯 뛰어 숲에서 나와 엎드렸어. 그리고 땅이 흔들리지 않기를 엎드려 기다렸다가 이야기를 시작했지.

“난 호중이라 해. 넌 영덕이라고?”

“응, 난 여기 마을에 살고 있어. 숲속에 불이 여기저기 났어. 숲에도 마을에도 땅이 흔들리고 갈라지면서 지진이 일어나서 많은 사람이 다쳤어.”

“아! 뭐야! 지진은 뭐야?”

“지진은 땅이 갑자기 흔들리면서 집이 무너지고 땅이 갈라지고 그래서 사람들이 크게 다치는 거야. 숲속의 동물들도 많이 다치고 죽고 했어.”

“그렇구나, 영덕아 고마워! 날 살려주었어. 난 말이지, 난 숲속의 왕 호중이야! 내가 생각하기로는 난 옛날에서 여기로 온 것 같아.”

"하하하, 옛날에서 왔다고?"

영덕이는 호중이가 말하는 것을 믿지 않았지. 다만 호중이가 친근하고 나쁜 아이가 아닌 느낌이었지.

'내가 이상해, 내가 사람이 되었나 봐. 영덕이도 날 무서워하지 않고, 하느님이 진짜 튼튼한 동아줄을 보내셨나 봐! 난 나쁜 일만 했는데.'

호중이는 하느님께 감사하다고 혼잣말하고, 오누이를 따라왔는데 그 아이들은 어떻게 된 것인지, 아주 궁금했지.

"난 집에 가야겠어. 넌 어디 살아?"

"난 난, 숲속에 살지! 숲이 내 집이야."

"숲은 들어갈 수가 없으니, 그럼 일단 우리 집으로 가서 생각해 보자. 나도 엄마를 찾아야 해."

"그래, 고마워. 영덕아!"

둘은 숲속을 나와 마을로 갔지. 영덕이가 살고 있던 마을은 집과 땅이 무너진 곳도 있고, 자동차며 나무들이 쓰러져 있었어. 여기저기서 탄 냄새. 어른들은 웅성웅성 모여 이야기하고 있었어.

"호중아! 우리 집이 무너져 내렸어! 여기야! 큰일이네. 엄마, 엄마. 어디 있어요! 학교에 가봐야겠어. 지난번 지진 대피 훈련할 때 그곳으로 갔었거든!"

영덕이는 호중이와 학교로 달려갔지.

"영덕아! 영덕아! 살아 있었구나! 엄마가 얼마나 기다렸다고. 어디 다치지 않았니? 다행이다."

영덕이와 엄마가 재회하는 모습을 보고 호중이는 옆에서 깜짝 놀랐지! 왜냐하면 분명 영덕이의 엄마는 자신이 먹어 삼킨 그 '떡 하나 주면 안 잡아먹지' 그 사람이었거든!

"내 엄마야. 인사해."

"안녕하세요. 전, 호중이라 합니다."

'어떻게 된 것이지? 내가 분명 삼켰는데. 살아나신 걸까?'

"그래, 호중이라 했지? 우리 아들과 같이 있어 줘서 고마워!"

호중이는 너무나 혼란스러웠지. 영덕이도 그렇고 그 엄마도 그렇고, 그리고 여기가 어딘지 어떻게 자신이 여기 와 있는지!

"영덕아! 여기는 어디야?"

"또 이상한 이야기 하네. 여기는 대한민국이야. 지금은 2024년! 왜 그러니? 여기는 영덕이야. 그래서 엄마가 날 영덕이라 이름을 지어주셨어."

영덕이의 말을 듣고 있던 어머니가 말을 이었지.

"우리나라는 참 살기 좋은 곳이었단다. 예전이 더 좋았지. 지금은 기후가 자주 변해서 지진도 자주 일어나고 불도 자주 나고 그러네."

"그래서요?"

"호중아! 영덕아! 해외에서는 기후 탓에 죽는 사람도 많고, 하루 종일 낮은 곳, 밤인 곳, 또 사람들이 서로 싸우고 전쟁도 일어나고 있어. 먹을 것이 부족하고, 전쟁으로 사람들이 죽어가는 곳도 많이 있어."

"맞아요. 엄마, 학교에서 선생님이 걱정이라고 말씀하셨어요."

"영덕아! 그래서?"

"사람들이 좋은 환경에서 살려면 모든 사람이 경각심을 갖고 달라져야 한다고 했어."

"아, 그렇구나!"

호중이는 완벽히 이해는 안 되었지.

"호중아, 진짜 네 집이 어디야?"

"나! 난 숲속의 왕이지. 호…."

"또 그러네! 하하하."

"엄마, 정말 더워요. 너무 더워요. 못 참겠어요. 빨리 비가 왔으면 좋겠어요."

"영덕아 힘내라! 하늘의 해님께 기도하자!"

영덕이와 엄마는 하늘을 쳐다보며 기도했지.

"해님! 여기저기 숲에서 불이 나고, 땅 꺼짐으로 지진도 일어나고 있어요. 하늘의 날씨를 관장하시니 어서어서 비를 내려 주세요. 불을 꺼야 해요. 마을 입구가 파헤쳐져 큰 소방차도 못 들어온대요."

호중이는 영덕이와 엄마의 대화를 듣다가 우연히 하늘을 올려다보고 깜짝 놀랐어! 하늘에서 해남이의 화난 모습이 보였어. 무서운 얼굴이었어.

"뭐야! 너 왜 거기 있는 거지? 어떻게 올라간 거야?"

'하늘로 올라가 그 아이가 해가 된 것이 틀림없어!'

호중이는 이 상황이 당황스럽지만, 자신이 먹어 치우려 했던 그 남자아이가 해가 되었다는 것을 알 수 있었어. 호중이는 하늘을 쳐다보고 큰 소리로 말했지!

"넌 누구야! 내가 잡아먹으려 했던 그 아이? 네가 해가 된 거야?"

"그래, 난 해가 되었어! 너 때문에 우리 가족은 모두 헤어지게 되었지! 내 동생은 달이 되고, 엄마는 지구에서 다시 태어나셔서 우리가 누구인지 알아보지도 못해!"

"내가 네 엄마 잡아먹고, 너와 동생도 못살게 굴어서 화난 거야?"

"맞아! 화났어. 난 네가 싫어. 그리고 인간들도 싫어! 엄마가 살고 있는 지구를 소중하게 여기지 않아. 그래서 싫어!"

해남이는 화가 나서 두 팔에 힘을 바짝주며 말했지.

"아! 뜨거워. 미안해 미안해!"

해남이가 화를 내면서 날씨의 뜨거움을 참지 못하고, 쓰러지고, 지진으로 인해 집과 땅이 무너지고, 아픈 사람들이 많아졌지. 어수선한 분위기였어.

호중이는 영덕이의 엄마가 쓰러진 것을 보고 달려갔어.

"어머니, 어머니 일어나세요."

호중이는 안간힘을 다해 영덕이 어머니를 일으켜 세우고, 편안하게 땅에 눕혀드렸어. 부채를 부쳐서 시원하게 해드리고 주변에 도움을 요청했지!

"음, 고맙구나! 호중아."

간신히 정신을 차린 어머니께 호중이는 물을 마시게 해드리고 머리에 물수건도 해드렸어.

"호중아 고맙다."

영덕이의 어머니는 눈물을 글썽이며 고마워했어.

"호중아, 내 아들을 부탁해. 내 아들과 함께 해주렴."

"네 어머니, 잘 알겠습니다. 어머니! 일어나실 거예요. 좀 쉬고 계시면 영덕이가 올 거예요."

'어머니! 어머니! 잘못했어요. 제가 어머니를, 사람들을 잡아먹는 것이 아니었어요! 흑흑….'

호중이는 자신 때문이라고 생각하며 울부짖었지.

'제가 죄송해요. 어머니, 제가 떡 하나에 만족 못 했어요.'

호중이는 맘속으로 해에게 달에게 어머니께 용서를 빌고 빌었어.

"해야! 엄마를 살려줘! 정말 미안해. 용서해 줘 달아! 사람들을 제발 살려줘!"

호중이의 외침은 하늘로 올라가 해가 된 해남이와 달이 듣게 되었지.

"오빠 불쌍하다. 우리 용서해 주자. 언제까지 사람들을 괴롭힐 거야? 우리 엄마가 너무 불쌍해."

"인간들이 지구를 좀 더 생각했으면 좋겠어!"

해남이는 멀리 있어도 달이 말하는 것을 들을 수 있었어. 그리고 조금씩 마음의 동요를 일으키게 되었지.

'우르르 쾅!'

하늘에서 큰 괴성이 몇 번 나더니, 한 방울씩 비가 쏟아지기 시작했지.

"비다, 비다!"

사람들이 비를 무척 반가워했지!

"엄마, 엄마 비가 와요! 쓰러지셨다 들었어요. 어떻게 된 거예요?"

"영덕아! 내가 햇볕이 따가워서 현기증으로 쓰러진 것 같구나!"

영덕이는 엄마를 꼭 안아드리고 걱정스러운 눈빛으로 보았지.

"영덕아, 비가 내려. 얼른 안으로 모시자. 어머니가 갑자기 비를 맞으면 감기 걸리실 것 같아."

"응! 깨어나셨지만 힘이 없으셔! 비를 피하자. 눕혀 드려야겠어."

호중이와 영덕이는 어머니를 모셔두고 주변을 정리하는 어른들을 도우러 밖으로 뛰어나갔어.

"해야 해야! 내 소원을 들어줘!"

호중이는 하늘을 쳐다보며 간절히 말하고 어른들을 도와 사람들을 안전한 장소로 안내했지.

"우르르 쾅!"

갑자기 하늘에서 천둥소리가 작아지더니, 조금씩 해가 나오기 시작했어. 그리고 해남이는 땅 아래를 바라보았어.

"해야! 고마워! 내 소원을 네가 들어준 거지?"

"그래! 이번에는 내가 했어."

"흑흑흑, 내가 너를 많이 괴롭혔는데 정말 고마워!"

호중이는 해가 된 해남이의 이야기를 들을 수 있었어.

"네가 우리 엄마를 도와줘서 고마워! 난 우리 엄마가 인간들과 행복하게 살기를 바래! 그런데 나도 힘이 빠지고 있어. 인간들이 환경을 해치고 있어서!"

"해남아 넌! 엄마를 많이 사랑하는구나! 정말 잘못했어! 내가 내 욕심으로 너의 엄마를 죽였어. 그리고 사람들과 동물들을 너무나 많이 죽였어. 난 내가 숲속의 왕이라 생각해서 무서운 것이 없었어."

호중이는 해가 된 해남의 맘을 느낄 수 있었고 결심한 듯 말했지.

"해남아! 엄마와 잘 살 거야. 고마워. 해남아! 네가 행복하고 사람들이 행복하게 살려면 어떻게 해야 하는 거야?"

해가 된 해남이는 이렇게 말했지.

"사랑하는 거야. 서로를 돕고 사는 것, 쓰레기를 아무 곳에나 버리지 않는 것, 양보하고 배려하는 것, 자연의 법칙을 따르고 억지로 환경을 파괴하지 않게 하는 거야!"

"해남아, 그렇게 하면 되는 거야?"

"응! 그렇게만 된다면 난 내 동생 얼굴을 보고 만나서 이야기도 할 수 있어!"

"해남아 네 동생 달이는 어떻게 만난다는 거지?"

"내 동생과 내가 만나려면 우선 지구 환경을 잘 지켜야 할 수 있어. 그래야 우주의 법칙에 의해 달과 지구와 해가 한자리에 서게 되는 날, 우린 온전히 만날 수 있어!"

해남이는 동생이 달이 되어 얼굴을 볼 수 없다고 말하면서 만날 수 있는 날이 있다고 말해 주었지.

"해남아, 걱정마!"

"호중아! 나와 내 동생은 사람들이 행복하게 살기를 바래! 그리고 이제부터 화내지 않을게."

"고마워 해남아! 달아! 우리가 좋은 숲을 만들어 볼게! 영덕이랑 친구들이랑 실천해 볼게. 약속할게!"

호중이는 영덕이와 이야기를 나누었지. 영덕이는 처음에는 이해할 수 없다는 듯이 쳐다보았어. 하지만 자신도 숲과 마을을 지켜야겠다고 생각했기 때문에 믿어 주었어.

"영덕아, 우리가 숲을 지켜야 해. 우리는 어른은 아니지만 우리가 할 수 있는 일을 찾아봐야 해! 어떻게 하면 좋을까?"

"호중아 우리가 지켜야 한다는 것에 찬성이야. 친구들도 불러서 함께 하자."

"그래 그래."

영덕이와 호중이 친구들은 지구 살리기를 어떻게 하면 좋을지 의견을 나누었어.

첫째, 주변을 깨끗이 청소하기
둘째, 집에서 분리수거하기
셋째, 나무 심기
넷째, 쓰레기 아무 데나 버리지 않기

"맞아 맞아! 해님이가 그랬어. 우리가 실천을 잘 해야 해와 달이 만날 수 있다 했어!"

영덕이의 말에 호중이가 말했지.

"영덕아, 그럼 난 숲에서 쓰레기들을 주워 정리해 볼래."

"그래. 그래."

"호중아, 영덕아, 나도 같이 하자. 엄마도 도울 수 있어."

엄마는 주변 사람들을 모셔 와 숲속과 마을 주변의 쓰레기를 치우기 시작했어. 쓰레기 치우는 데도 시간이 오래 걸렸지. 주변이 말끔히 치워졌어.

"호중아, 네가 아니었으면 안 됐을 거야! 고마워!"

"영덕아! 아니야, 모든 사람들이 협동해서 치운 거지. 우리가 사는 마을과 숲속이 빨리 회복되어 잘사는 곳이 될 거야."

열심히 주변 정리를 하다가 호중이는 하늘을 올려다보았지. 해님이가 땅 아래를 내려다보고 웃고 있었어.

"고마워 해님아! 달아! 너희가 우리를 지켜줬어. 우리가 편하게 살 수 있다는 것을 알았어! 고맙다."

영덕이의 학교에서도 신기한 일들이 많이 일어났어.

"내가 할게. 내가 쓰레기 버릴게!"

학교 친구들은 분리수거의 달인이 되었어. 우유 팩이나 쓰레기 페트병을 아무 곳에나 버리지 않았고, 분리수거 했지!

"호중아, 오늘 우리 마을 쓰레기 줍는 날이지?"

"알고 있어. 어서 나가자."

마을 사람들과 호중이와 영덕이, 엄마, 친구들은 마을과 숲을 살리기 위해 꾸준히 노력했지.

“영덕아, 개기일식이 뭐야!”

“뉴스에 나오는데?”

해남이와 영덕이는 어느 날 뉴스를 보게 되었어. 달이 해를 완전히 삼키는 개기일식이 진행된다는 말이었어.

“호중아! 개기일식은 달이 해에 들어가는 날이야. 그 안에 지구가 들어있어.”

호중이는 깜짝 놀랐지.

‘이거였어. 해남이가 달이랑 만날 수 있다는 그날. 달이 해 속에 들어가는 날! 해남이와 달이는 그것을 말했던 거야.’

호중이는 해남이와 달이가 말한 것을 이해했지. 해남이가 말했었지. 해남이와 달이는 알아보지 못하는 엄마지만, 엄마가 살고 있는 곳 지구가 풍요롭다면 엄마가 행복할 것이라고 그렇게 믿는다고 말이지.

“해남아!”

호중이는 하늘을 올려다보며 이렇게 말했지.

“해남아, 달아, 너희를 만나게 해주고 싶은데, 이번에 가능하다는 거지?”

“맞아. 호중아, 우리 모두 편하게 사는 세상! 지구의 온난화로 땅이 갈라지고 물이 부족하고 그러다 보니 지진이 일어나는 거야."

"많이 배웠어!"

"사람들이 환경을 잘 지켜준다면 개기일식 때 우리 남매는 얼굴도 보면서 이야기도 나누고, 달이와 우리 엄마를 지켜볼 거야."

"해남아, 내일이야. 내일 달이 해에 들어가는 날이래."

"맞아, 나도 기다리고 있어. 내 동생 달이가 너무 보고 싶어!"

드디어 하늘이 갑자기 깜깜해지고 개기일식이 일어났어. 지구의 사람들은 밖으로 나와 즐기기도 하고, 텔레비전을 통해 보기도 했어.

"오빠!"

"달아! 오늘 온전히 너를 안아 보는구나!"

"오빠! 지구의 친구들도 고맙네. 그리고 호중이가 좋은 사람이 되어서 좋아!"

"그래, 호중이가 지구 친구들과 지구의 환경을 살리는 운동을 하니 참 좋구나! 우리도 이제는 안심하고 일식과 월식 때 만날 수 있어."

해남이와 달이는 서로의 얼굴을 보고 환하게 웃으며 엄마 이야기도 나누고, 오랫동안 못 본 모습을 바라만 보는 것으로도 기쁨을 느끼며 다음을 기약하기로 했지!

"해남아, 달아 고맙다. 엄마는 걱정하지 마! 영덕이가 엄마와 행복하게 잘 살 거야."

"호중아 고맙다."

호중이는 영덕이에게 이제는 숲으로 돌아갈 수 있다고 말했어.

"영덕아! 뭔가 느낄 수 있어. 나 숲으로 가야 할 시간이 되었어, 숲에 가면 동물 친구들과 사이좋게 지낼 거야."

"호중아! 섭섭해. 여기는 나에게 맡겨. 이제 나도 자연을 사랑하고 자연의 신비에 고마움을 느끼고, 지구 온난화에 대비하는 환경운동가가 될래."

"그래, 고맙다. 영덕아 엄마를 부탁해."

개기일식이 끝나는 순간 호중이는 다시 동그란 코로나의 빛으로 감싸면서 사라졌어. 호중이가 숲으로 돌아갔다는 증거겠지?

"여기에 모두 모여라."

"예! 예."

동물 친구들이 모여들어 호랑이 앞에 머리를 숙였지!

"여봐라! 이제부터 마을 사람들을 해치지 말아야 한다. 거기는 내 친구. 내 엄마가 사는 곳이다."

"예."

호중이는 숲속 동물들에게 큰 호통을 쳤지만, 무섭게 이야기하지는 않았어.

"영덕이 엄마! 해남이와 달이의 엄마, 그 엄마는 내 엄마야. 이제부터 우리 엄마가 사는 영덕이 집에 고기를 가져다 드려야겠어."

호중이는 매일 엄마가 사는 집 앞에 고기도 가져다드리고, 숲을 사람들이 오고 싶은 곳으로 가꾸는 데 노력을 했지!

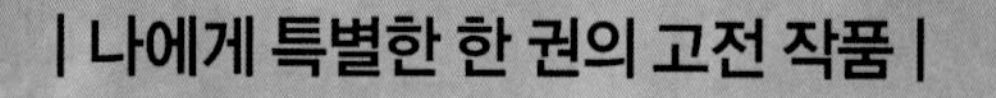

열하일기 – 박지원 –

1780년(정조) 중국 연경을 거쳐 열하(熱河)까지 여행하며 감상을 적은 기행문이다.

긴 여정을 함께 할 제, 꼭 필요한 건 정보가 아니라 정서적 친밀감이다. 함께 웃고 함께 웃으면서 매 순간 새로운 관계를 구성할 수 있는 교감 능력 말이다.

콩쥐의 소문 들어 봤어?

글. 남궁기순 그림. 김해랑

|저자소개| 문학박사, 시인, 작가, 아동문학가, 유아교육 전문가
그림책 프로젝트 전문가, 나래PBL교육연구소 대표
상상나래출판사 대표, 사)색동 어머니회 이사
사)문학그룹 샘문 이사, 한국 작가협회 부회장

| 저서 |
엄마를 위한 그림책 인문학 외 다수
동화 〈한여름 밤의 가출〉, 〈방구뽕 삼총사〉, 〈세 친구의 꿈의 지도〉
〈수상한 스마트폰 천사 리엘〉, 〈영원한 껌딱지〉, 〈타임머신이 아그작아그작〉
〈꺼꾸로 갈매기〉
그림책 〈네 귀는 특별하단다〉, 〈솔방울의 꿈〉
시집·동시집 〈행복한 동행〉, 〈꿈꾸는 산책〉, 〈모음 말놀이 동시집〉, 〈자음 말놀이 동시집〉

|작품소개| 마음씨 고운 콩쥐가 원님과 결혼해서 자신의 삶을 개척해 나가는 콩쥐팥쥐 이야기입니다. 잘못을 뉘우치지 못하는 계모와 팥쥐가 계속 나쁜 짓을 하면서 벌을 받게 되는 이야기를 통해 권선징악의 의미를 되새겨 봅니다. 원님과 콩쥐는 서로 도와주고 다른 사람들을 위한 삶을 살면서 새로운 인생을 만들어 갑니다.

콩쥐가 잃어버린 꽃신 때문에 원님과 결혼해서 잘 살았다는 콩쥐 이야기 들었지?

원님도 마음씨가 좋기로 한양에서 소문이 자자했대.

"콩쥐에게 못된 짓을 했으니 큰 벌을 내려야겠다."

마음씨 착한 콩쥐가 불쌍한 아버지를 생각해 용서해 달라고 빌어서 계모와 팥쥐는 벌을 면하게 됐대. 그 후 계모와 팥쥐는 콩쥐에게 얼마나 잘하는지 밤낮없이 맛있는 것을 해 오고 다정하게 대하는 거야. 콩쥐가 팥죽을 먹고 싶다고 하면 계모는 콩쥐네로 따뜻한 팥죽을 가지고 오는 거야.

계모가 마음을 바꿔 먹고 착하게 되었다고 동네 사람들이 칭찬하는 거야. 어찌나 사람이 달라졌는지 보는 사람마다 계모에게 넙죽 절도 하고 맛있는 것도 나눠 먹었대.

원님도 콩쥐를 사랑하고 계모와 팥쥐까지 잘해 주니 콩쥐는 울 일이 없었지.

어느 날, 장사꾼과 계모가 쑥덕거리더니 항아리 한 개를 사다 신주 모시듯 방에 갖다 놓는 거야. 콩쥐가 팥죽을 좋아한다고 얼마나 자주 콩쥐에게 드나들던지 문지방이 번지르르했다니까. 그런데 참 이상하게도 몇 달이 지나니까 콩쥐가 자주 복통이 생기는 거야.

"배가 아프니 어쩌면 좋으냐?"

계모는 큰일 났다고 호들갑을 떨면서 콩쥐네 살다시피 했대. 원님도 콩쥐를 잘 돌봐 준다고 계모에게 잘해 주었지. 계모는 콩쥐에게 지극정성이었대.

"콩쥐야, 내가 낫도록 해주마."

"어머니, 고맙습니다. 흑흑."

계모가 그렇게 지극정성인데도 콩쥐의 복통이 쉽게 가라앉지 않는 거야. 참 이상도 하지?

어느 날, 팥쥐가 엉엉 울면서 콩쥐네 온 거야. 바구니에 뭔가를 담아왔는데, 냄새가 고약한 거지.

"엉엉엉, 어젯밤에 죽어버렸어."

"아이고, 딱해서 어쩌누. 엉엉~"

무슨 일인가 하고 바구니 가까이 콩쥐가 가서 보니 콩쥐를 도와주었던 커다란 두꺼비가 죽어 있는 게 아니겠어. 딱 봐도 콩쥐를 도와준 두꺼비를 아는 거지. 콩쥐는 눈이 휘둥그레지고 몸이 떨려서 차마 볼 수가 없었지. 죽은 두꺼비를 보면서 콩쥐는 목놓아 울었어. 팥쥐도 어찌나 엉엉 우는지 두꺼비가 죽어서 안쓰러워하는 것처럼 보였지.

"불쌍한 두꺼비야, 엉엉~"

계모와 팥쥐가 집에 가고 밤에 잠을 자려고 하는데 도저히 잠을 잘 수가 없는 거야. 콩쥐는 온 몸에서 식은땀이 나고 열병으로 몇일을 앓았대. 자신을 도와주었던 두꺼비의 죽음을 보고 나니 가슴이 방망이질 치듯이 참을 수가 없는 거야. 시원한 물을 단숨에 들이켜도 마음이 쉽게 가라앉지 않았어. 어느 날 간신히 잠이 들었는데 어디선가 두꺼비 소리가 들리네.

'크윽 크윽 크윽 크윽'

'크윽' 소리에 콩쥐의 가슴까지 빠르게 뛰었지. 자세히 들어보니 툇마루에서 나는 소리였지. 두꺼비 한 마리가 앉아 있는 것을 보고 콩쥐가 까무러칠 뻔했지. 두꺼비를 보고 너무 놀란 콩쥐가 바닥에 주저앉았어.

"두 두 두꺼비야!"

"난 죽은 두꺼비 처예요."

"죽은 두꺼비의 처?"

'크윽 크윽'

또 다른 두꺼비 소리가 마당에서도 나는 거야. 새끼 두꺼비 두 마리가 있는 거야. 두꺼비 가족이었던 거지. 깜짝 놀란 콩쥐가 바닥에 주저앉고 말았어. 그때 두꺼비가 콩쥐 앞치마로 폴짝 뛰어드네. 그러고는 콩쥐 귀에 대고 자초지종을 알려 주었지. 콩쥐가 듣고 보니 기가 막힌 거야. 팥쥐가 부지깽이로 두꺼비를 때렸다고 하니 콩쥐가 얼마나 기가 막히겠어. 팥쥐가 달라졌다고 잘해 주었는데 너무나 괘씸했어. 다음 날 콩쥐는 팥쥐를 불렀지. 어떻게 하나 보았더니 기가 딱 막혔지.

"팥쥐야, 두꺼비가 어떻게 죽은 거라고 했지?"

"두꺼비가 바위 옆에서 미끄러지더니 바위에 머리를 부딪힌 거야!"

콩쥐는 천연덕스럽게 말하는 팥쥐의 이야기를 듣고 너무 기가 막히는 거야. 두꺼비 가족이 나타난 것도 모르고 팥쥐는 두꺼비 이야기를 지어내며 또 슬피 우는 거야.

"두꺼비가 너무 불쌍해."

콩쥐가 하인에게 부지깽이를 가지고 오라고 했지. 깜짝 놀란 팥쥐는 무슨 일인가 하고 눈이 휘둥그레지는 거야. 얼굴이 빨개지더니 놀란 자라처럼 움츠려지는 거야. 콩쥐가 큰 소리로 똑똑하게 말하는 것을 듣고 주눅이 들고 말았지. 옛날엔 말도 못 하던 콩쥐가 큰 소리로 말하는 것을 듣고 팥쥐가 더 놀랐지.

"부지깽이 어서 가져오세요."

"부지깽이 여기 있습니다."

옆에 있던 하인이 잽싸게 부지깽이를 가지고 오네. 팥쥐는 땅바닥에 털썩 주저앉더니 고개를 못 들고 덜덜 떠는 거야.

콩쥐가 두꺼비의 한도 풀어줘야 할 것 같아서 팥쥐에게 호통을 치며 말했지.

"두꺼비 가족이 먹지 못해 죽는 일이 없도록 지극정성으로 돌봐야 한다."

"알았어요. 그럴게요."

"살아 있는 것을 부지깽이로 때렸으니 너도 벌을 받아야겠다."

"한 번만 살려 주세요!"

콩쥐는 못된 짓을 한 팥쥐를 용서할 수가 없었어. 어떻게 되었겠어? 콩쥐는 하인을 시켜 부지깽이로 팥쥐의 엉덩이를 쳤대. 죽을 만큼 아팠지만 살아있는 것만도 다행이라 생각한 거지.

계모는 울고불고 난리가 난 거야. 팥쥐가 맞는 것을 보고 까무러친 거지. 어느 누가 자식이 벌을 받는데 제정신이겠어. 팥쥐가 하는 짓이 제 어미를 닮은 거지. 한 달이 넘게 엉덩이를 치료하더니 겨우 일어설 수 있었지. 다시는 나쁜 짓 하지 않겠다고 하더니 이제 살만하니 나쁜 마음이 생기는 거야. 아파 누워 있는 동안 얼마나 성깔을 부리는지 계모도 감당이 안 되는 거지. 툭 내뱉는 말이 기가 막혔거든. 어미가 못된 말과 행동을 하니 팥쥐도 똑같은 짓을 하는 거지. 잘못했다고 반성을 하는 게 아니라 콩쥐를 혼내줄 궁리만 했지.

“저놈의 두꺼비까지 돌봐야 한다니 기가 막히네. 기가 막혀!”

그런데 계모와 팥쥐가 독에 물을 채우고 나면 물이 금방 새는 거야. 귀신이 곡할 노릇이었지. 계모도 팥쥐도 두꺼비가 독에 물을 채우는 일을 도와주었다는 것을 알 리가 없지. 콩쥐와 두꺼비 가족이 고약한 팥쥐를 혼내주려고 계획한 거였지. 팥쥐가 힘들면 반성하겠지 했지만, 전혀 그럴 기미를 보이지 않았어.

콩쥐는 두꺼비 가족과 기발한 계획을 세웠지만 늘 마음은 가엾은 두꺼비를 위해 매일 기도를 했지. 팥쥐가 반성하고 착한 사람이 되길 바라면서 말이야. 일하기 싫어하는 팥쥐가 매일 두꺼비 때문에 하지도 않던 일을 하고 있으니 기가 막힐 노릇이었지.

그런데 어쩐 일인지 몇 날이 지나도 콩쥐의 뛰는 가슴이 가라앉질 않는 거야. 식은땀도 자주 났지. 아침부터 제비가 어찌나 시끄럽게 울어 대는지 밖으로 나갔어. 제비 한 마리가 뭔가를 입에 물고 왔다 갔다 하는 거야. 자세히 보니 다리를 다쳐 도와주었던 제비네. 반가운 마음에 버선을 신은 채 마당으로 달려 나왔지. 제비가 뭔가를 '툭' 뱉어내는 거야. 콩쥐가 주워서 이리저리 살피니 꽃이네.

"꼭 양귀비처럼 생겼네."

제비는 콩쥐의 말이 맞다고 고개를 까딱까딱하는 거야. 그리고는 훌러덩 마당에 드러눕는 시늉을 하는 거야. 그리고는 죽은 듯이 가만히 있네. 콩쥐가 하도 이상해서 제비를 한참 들여다보는 거지.

"제비야, 왜 그래? 도와줄까?"

제비는 양귀비꽃을 콕콕 찧으며 또 훌러덩 마당에 드러누워 '컥컥' 거리는 시늉을 하더니 하늘로 훨훨 날아오르네. 콩쥐가 참 이상하다고 생각하며 방으로 들어와 곰곰이 생각하는데 원님이 일어나 콩쥐의 말을 듣고 원님도 이상하게 생각하는 거지.

제비가 여러 차례 찾아와 똑같은 모습을 하더니 날아가는 거야.

"아무래도 저 제비가 무엇인가 알려 주고 싶은가 봐요."

"그러게요. 제비가 힘들어하는 것이 당신과 똑같구려."

아침부터 고민하던 차에 계모가 팥죽을 끓여 왔다고 하며 콩쥐를 부르네. 계모가 앉아 있는 방에 콩쥐는 제비가 물고 왔던 양귀비꽃을 내려놓았지. 양귀비꽃을 본 계모는 사시나무 떨듯이 떠는 거야. 이상하게 여긴 원님이 계모에게 다그쳤지.

"무슨 일이냐?"

"자 잘 모르는 일 일입니다."

"무엇을 잘 모른다는 것이냐?"

"난 난 아무것도 모릅니다."

원님이 지혜롭기로 소문이 난 사람인데, 계모가 하는 짓이 너무도 의심스러운 거야. 원님은 의원을 불러 팥죽에 무엇이 들어갔는지 알아보라고 명했지. 그 사이에 계모는 팥쥐를 데리고 야반도주를 하는 거야. 원님이 집에 가보니 계모와 팥쥐는 보이지 않고 선반 위에 항아리가 있는 거지.

"저 항아리를 열어 보아라. 무엇이 들어 있는지 철저히 알아보거라."

"양귀비꽃 향이 납니다."

관아에 가지고 와서 자세히 조사해 보니 의원의 말처럼 항아리에 양귀비꽃을 갈아서 만든 가루가 들어 있던 거지. 무슨 말이냐고? 늘 마음이 여려서 조금만 놀랄 일이 있으면 가슴이 뛰는 병이 콩쥐에게 있었던 거지. 마음이 약해서 울던 것도 콩쥐의 신장이 약해서 였던거지. 고약한 계모가 콩쥐의 용서에도 반성하지 못한 거야. 콩쥐가 부러워서 못된 마음을 품은 거지. 신장이 약한 콩쥐에게 양귀비꽃을 먹이면 나쁘다는 말을 듣고 매일 지극정성으로 팥죽을 끓여 준 거야. 원님이 이 말을 듣고 도저히 계모와 팥쥐를 용서할 수 없었던 거야.

"당장 고약하고 못된 팥쥐 모녀를 잡아오너라!"

마음씨 고약한 계모와 팥쥐를 잡는다는 방을 붙였던 거지.

큰 상을 준다고 방을 붙였더니 여기저기서 사람들이 계모와 팥쥐를 잡는다고 북적거렸지. 이 동네 저 동네에서 사람들이 찾아왔어. 못된 계모와 팥쥐는 깊은 산으로 도망을 갔지. 사람들이 쉽게 찾지를 못하는 거야. 하늘에서 보고 있던 콩쥐 엄마의 넋이 팥쥐 모녀를 따라다녔어. 팥쥐 모녀가 너무 괘씸했던 거야. 허구한 날 팥쥐가 배가 고파 짜증을 부리고 있는데 머리가 흰 노파가 동굴 안으로 들어오네. 커다란 보따리를 들고 있는 노파를 보고 계모가 좁다고 투덜대는 팥쥐를 달래는 거야.

"예쁜 팥쥐야, 조용히 해야지."

"여기 앉아서 좀 쉬어도 될까요?"

계모는 팥쥐 귀에 대고 조용히 속삭였지.

"저 노파 보따리에 먹을 것이 들어 있을지 모르니 친절하게 대하자꾸나."

그런데도 엄마의 말에는 아랑곳없이 팥쥐는 자리 없다고 소리를 지르는 거야. 그런데 노파는 웃으면서 보따리를 내놓는 거야.

"산에 나물을 캐다 길을 잃었는데 이 동굴을 보았다우."

노파가 보따리를 열면서 배가 고프니 같이 먹자고 하는 거야. 계모는 팥쥐를 달래며 밥이라도 얻어먹자고 하는 거야. 노파의 보따리에는 밥과 나물이 잔뜩 있었지.

"우리에게 음식을 주어야 여기 있게 하겠소."

"아무렴. 고마워서 음식을 나누어 드리리다."

계모와 팥쥐는 허겁지겁 음식을 먹더니 배를 툭툭 두들기는 거야. 너무 먹어서 소화가 안 될 지경이었지. 노파는 계모와 팥쥐가 음식을 먹는 동안 사라졌어. 얼마나 허겁지겁 음식을 먹었는지 노파가 언제 갔는지도 몰랐지. 잠시 후 시간이 조금 지났는가 싶었는데 팥쥐가 놀라서 소리를 지르네.

"어머니, 얼굴이 쭈그러지고 머리는 하얗게 세고 있어요!"

팥쥐는 어떻게 되었겠어. 갑자기 몸이 작아지고 미끌미끌하더니 두꺼비로 변하는 거야. 자기 잘못을 뉘우치지도 않고 고약한 마음을 가진 계모와 팥쥐는 벌을 받은 거지. 하늘에서도 용서할 수 없었던 거야. 그래서 콩쥐의 어머니가 노파로 변신해서 고약한 계모와 팥쥐 앞에 나타난 거지.

"어딜 가서 찾아도 계모와 팥쥐 모녀를 찾을 수가 없습니다."

하인들은 결국 팥쥐 모녀를 못 찾았어. 온 마을을 뒤져도 고약한 계모와 팥쥐 모녀는 보이지 않았어. 두 모녀는 그런 몰골로 도저히 밖으로 나올 수가 없었던 거야. 서로 바라보며 기가 막힐 노릇이었지. 후회해도 소용이 없었던 거야.

지혜로운 원님은 콩쥐를 의원에게 보여주고 아프던 것도 낫게 해 주었지. 계모가 콩쥐에게 친절하게 먹이던 팥죽이 독죽이었던 거지. 그 이후에 콩쥐는 어떻게 되었을까?

그 후로 콩쥐의 병은 말끔히 다 낫고 원님과 콩쥐는 매일 알콩달콩 재미나게 살았대. 얼마 후 원님을 닮은 떡두꺼비 같은 아들이 태어났대. 아들도 지혜가 많아서 동네 사람들은 원님처럼 훌륭한 사람이 될 거라고 좋아했지.

"아들을 낳고 하는 일마다 일이 술술 풀리네."

막히는 것이 없이 풀리니 참 좋았지. 아들이 손을 대기만 하면 언제 그랬냐는 듯이 말끔히 고쳐지는 재주를 가져서 온 고을에 사람들은 콩쥐 아들을 찾아와 부탁하곤 했대. 두꺼비의 넋이 마음씨 좋은 콩쥐의 아들에게 내렸나 봐.

"콩쥐를 닮은 예쁜 딸이네요. 복 받는 거예요."

예쁜 딸을 낳은 콩쥐는 마음씨가 고운 딸을 보면서 흐뭇했지. 콩쥐의 딸은 아버지와 어머니를 지극정성으로 모시는 거야. 무슨 일을 할 때마다 죽는 것이 없는 거야. 살리는 재주가 있는 거지. 시들시들하던 꽃도 예쁜 딸의 손이 닿으면 말끔히 낫는 거야. 원님과 콩쥐는 아들과 딸을 바라보며 행복하기만 했어.

계모와 팥쥐가 보이지 않자, 두꺼비 가족은 콩쥐네 살게 되었지. 두꺼비가 콩쥐네서 어떤 일을 했냐고? 항아리에 물 한 방울도 흘리지 않도록 했대. 소금 항아리, 간장 항아리, 물 항아리에 있는 것은 모두 두꺼비가 지켜 주었대. 어쩐 일인지 두꺼비가 재주가 좋은가 봐. 계절마다 나는 물고기를 잡아다가 갖다 놓는 거야.

"나라에 기근이 들어도 이 마을은 멀쩡하네. 하늘에 복을 받은 거야."

물이 모자란 적이 없이 독 가득 물이 채워져 있는 거야. 두꺼비를 보살피는 콩쥐의 마음이 갸륵했던 거지. 콩쥐도 도움을 받기만 했는데 마음을 바꿔 보니 할 수 있는 일이 많다는 것을 깨닫게 된 거야. 콩쥐가 해결이 안 되는 일이 생기면 어떻게 했겠어. 지혜로운 남편인 원님을 찾아간 거지. 원님도 결정해야 할 일이 얼마나 많았겠어.

"원님, 도와주세요!"

"알겠오 부인. 부인도 내 일을 도와주시오."

어느 땐 원님보다도 더 지혜로운 말을 하는 콩쥐였대. 그러니 원님이 콩쥐를 더욱 신뢰하게 된 거지. 어떤 일을 해도 믿음직스러운 거야. 콩쥐가 제 일을 거침없이 해 나갈수록 자신이 생긴 거야. 작은 일을 맡겨 보았는데 어찌나 일을 잘 처리하든지 원님 마음에 든 거지. 원님이 곰곰이 생각해 보니 콩쥐도 집에만 있을 것이 아니라 세상 사람들을 도와주는 일을 하면 참 잘하겠다고 생각한 거지.

"내가 해결해야 할 일이 있을 때 나를 도와줄 수 있겠소?"

원님이 콩쥐에게 말하자마자 콩쥐는 기다렸다는 듯이 말했대.

"아무렴요. 기꺼이 도와드릴게요."

두 아이를 키우며 집에서 잘 지내던 콩쥐가 자신이 해야 할 일이 무엇인지 찾을 수 있도록 해 주는 원님의 마음이 너무도 멋지지 않니?

콩쥐가 어떤 일들을 해냈는지 궁금하지? 어느 고을이든지 가난하고 힘들어하는 사람들이 있어. 세월이 흐르자 원님이 다스리던 마을에도 기근이 들었던 거야. 가장 힘든 사람들을 찾아가 양식도 나눠주며 살아갈 수 있도록 농사일도 도왔대. 콩쥐가 잘할 수 있는 일이지. 어려서부터 아버지에게 배운 농사일은 자신 있었거든. 얼마나 야무지게 일하는지 힘들어하던 사람들도 용기를 갖게 되었대. 필요한 것은 대 주고 해야 할 일은 북돋워 주면서 자신을 갖게 하니 콩쥐의 소문은 온 나라에 자자했대.

원님과 콩쥐의 꽃신 사랑 이야기는 온 나라가 다 알게 되었대. 그래서 어떻게 되었겠어? 어느 고을이고 원님이 행차하는 날에는 냇가에 꽃신이 둥둥 떠다닌대. 원님과 콩쥐처럼 어느 멋진 인연이 만들어지면 좋겠지.

참. 못된 계모와 팥쥐는 어떻게 되었을까? 콩쥐가 자신의 할 일을 찾아가는 동안 팥쥐 모녀는 여전히 동굴 밖으로 얼굴도 내밀지 못하고 신세를 한탄하며 살고 있다는 이야기야. 어느 깊은 산골 허름한 동굴 안에 불빛이 새어 나오면 고약한 계모와 두꺼비가 된 팥쥐가 '끄윽 끄윽' 울면서 산속에서 슬픈 울음소리가 들릴지 몰라. 산에서 '끄윽 끄윽' 소리가 가까이 들리면 모른 척하고 지나가야 해. 팥쥐와 계모가 따라올지 모르니까.

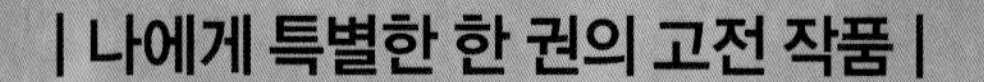

정약용의 편지글 – 정약용 –

다산 정약용이 18년 동안의 유배 생활 중에 가족과 제자들에게 보낸 편지글.

내 마음속에서 전전긍긍을 걷어내려면 먼저 내 사심을 버려라. 벌떡 일어나 훌훌 털고 떠나면 그뿐 이라는 것을 지녀라. 내게 범접한 기운이 있어 주위에 연연하지 않음을 보이면 남이 나를 감히 도발하지 못한다.

곶감을 먹으려면

글. 류락희 그림. 정경주

|저자소개| 독서교육 전문가, 그림책지도사, 동화구연가
그림책을 통해 여러 곳에서 다양한 사람들을 만나며 그림책의 즐거움을 많은 사람들과 함께 즐기고 있습니다.

|작품소개| 어느 추운 겨울에 호랑이가 먹이를 찾아 마을로 내려왔다가 아기 울음소리가 들리는 한 집으로 들어갔어요. 그런데 "울면 호랑이가 잡아간다."라고 하는데도 울음을 멈추지 않던 아기가 "곶감이다."라는 말을 듣자마자 울음을 뚝 그쳤어요. 곶감이 자기보다 더 무섭고 힘이 센 존재라고 생각하고 멀리 도망간 호랑이는 드디어 곶감이 무엇인지 알아냈고, 또 곶감보다 더 달콤한 보물도 찾게 되었다는데요.
호랑이가 곶감과 달콤한 보물을 찾게 되는 과정을 함께 따라가 볼까요?

'호랑이와 곶감' 이라는 옛이야기를 들어 본 적 있니? 겨울 어느 날 호랑이가 잡아간다고 말해도 울음을 그치지 않던 아이가 곶감이라는 말에는 울음을 뚝 그쳤다는 그 이야기 말이야.

그 뒤에 호랑이는 어떻게 됐을까? 지금부터 그 호랑이가 어떻게 살고 있는지 이야기해 줄게.

그 겨울, 호랑이는 곶감이 자기를 쫓아올까 봐 겁이 나서 걸음아 나 살려라 하고 숲속 동굴로 줄행랑쳐 숨었어. 혹시 곶감이 동굴 밖에서 기다리고 있지는 않을까 하고 겁이 난 호랑이는 동굴 안에서 꼼작도 하지 못했지. 그렇게 겨울이 지나고 새봄이 왔어. 시간이 지날수록 호랑이는 꽁지 빠지게 도망쳐 온 자기 모습을 생각하니 기가 막혔지. '어흥' 한번 하면 모두가 벌벌 떨고 세상에 무서운 것 하나 없는 호랑이였는데 생전 들어 본 적도 없는 곶감이라는 놈 때문에 동굴 안에서 벌벌 떨고 있는 자기 모습이 처량해 보이기까지 하는 거야. 그러면서도 시간이 갈수록 곶감에 대한 궁금한 생각은 점점 커졌지.

'곶감, 곶감. 분명 곶감이라고 했는데, 도대체 곶감이 누구길래 이 천하의 호랑이님이 나타났다는 소리에도 울던 아기가 울음을 뚝 그쳤을까? 나보다 덩치가 더 클까? 나보다 더 날카로운 이빨을 가지고 있을까? 나보다 더 큰소리를 낼까? 아니, 이러다가 숲속의 왕 자리도 곶감이라는 놈에게 빼앗기는 것 아니야?'

이쯤 생각하니 호랑이는 조바심이 났어. 곶감이 아무리 무섭고 힘이 세다고 해도 숲속의 왕 자리를 뺏길 수는 없었지.

'내가 숲속의 왕이 되려고 얼마나 노력했는데, 무서운 것도

참고 아픈 것도 참고. 그럴 수는 없어. 이렇게 마냥 넋 놓고 있다가 당할 수는 없지.'

호랑이는 조금 더 용기를 내보기로 했어.

'그래, 옛말에 나를 알고 적을 알면 백전백승이라 했어. 지금부터 곶감이 얼마나 센 놈인지 알아봐야겠군. 그래야 곶감을 이기는 방법을 생각해 낼 수 있지. 아무렴. 이 숲속에서 곶감에 대해 알고 있는 자가 분명히 있을 거야. 나가서 알아보자.'

호랑이는 동굴 입구에서 곶감이 자기를 기다리고 있지는 않을지 겁이 났지만, 용기를 내어 살금살금 동굴 밖으로 나왔어. 동굴밖에는 아무도 없었어. 얼마나 다행인지….

그런데 누구에게 어떻게 물어봐야 할지 난감한 거야. 호랑이는 지금 숲속의 왕 자리에 있으니까 다른 동물들보다 훨씬 힘이 세고 용감하고 똑똑해 보여야 했어. 그러니 호랑이 체면에 곶감이 무서워 도망쳐 왔다고 사실대로 말할 수도 없고 곶감이 누군지 모른다고 소문이라도 나면 무식하다 놀림감이 될 수도 있을 테니 말이야. 놀림감이 된 호랑이를 어느 누가 왕으로 인정해 주겠어?

'그래, 겨울도 지났으니 새봄 인사를 하는 척하면서 모이라고 해야겠군. 모두 모인 자리에서 물어보면 분명 곶감에 대

해 알고 있는 자가 있을 거야.'

호랑이는 숲속 동물들이 모두 모일 수 있도록 큰 소리를 내었어. 자기가 낼 수 있는 소리 중에도 가장 멋지고 우렁찬 소리를 내었지.

"어흥, 어흥. 숲속 동물들은 지금 당장 내 앞으로 모이도록 하여라."

숲속의 왕인 호랑이가 부르니 다른 동물들은 하던 일을 멈추고 모두 호랑이 앞으로 모였어.

"겨울이 지나고 새봄이 되었다. 숲속 동물들이 별 탈 없이 잘 지내고 있는지 이름을 불러보도록 하겠다. 이름이 불린 동물들은 큰 소리로 대답하거라. 알겠느냐?"

"네."

"여우는 왔는가?"

"네네. 호랑이님 덕분에 여우는 잘 지내고 있습니다요."

"멧돼지는 어디 있는가? 잘 있었는가?"

"멧돼지, 여기 있습니다. 호랑이님 덕분에 건강하게 잘 지냅죠."

호랑이는 숲속 동물들 이름을 하나하나 다 불렀어. 그리고 마지막 차례가 되었지.

호랑이는 곶감에 대해 은근슬쩍 물어보았어.

"곶감은 어디 있는가? 잘 있는가?"

"…."

"왜 아무 말이 없는 건가? 곶감이 어디 있는지 아는 자가 없는가?"

사실 동물들도 '곶감' 이라는 말을 처음 들어 본 거였지. 곶감이 뭔지도 모르는데 어떻게 대답을 할 수 있겠어? 자칫 모른다고 대답했다가는 호랑이한테 불호령이 떨어질 수도 있으니 아무 말을 하지 못하고 서로 눈치만 보고 있었어.

말이 없는 동물들을 보자 호랑이도 답답했지.

"아니, 곶감이 잘 있는지 아는 자가 하나도 없단 말이냐? 누구 곶감에 대해 알고 있는 자가 있으면 사실대로 말하렷다."

그때 나뭇가지에 앉아있던 까치가 조심스럽게 말했어.

"깍깍, 호랑이님. 제가 곶감을 알고 있기는 한데…."

곶감을 알고 있다는 까치 말에 호랑이는 귀를 쫑긋 세웠지.

"빨리 말해 보거라. 지금 곶감은 어디에 있는지."

"호랑이님이 말씀하시는 곶감과 같은 것인지 다른 것인지는 모르겠으나 제가 알고 있기로는 곶감은 숲속 동물이 아니라 먹을 것으로 알고 있습니다."

곶감이 먹을 것이라니. 호랑이는 이게 무슨 말인가 싶어 당황했지만, 다른 동물들이 눈치채지 않게 해야 했어.

"하하하. 곶감이 곶감이지 뭐 같고 다를 것이 있겠는가? 어서 자네가 알고 있는 곶감에 대해서 말해 보아라."

호랑이가 웃으니, 까치도 신이 나서 말했어.

"제가 좋아하는 나무에 주황색 열매가 열리는데 그 열매 이름이 '감' 입니다. 아주 맛있는 과일입죠. 그런데 어느 날 사람들이 감을 모두 딴 다음 껍질을 벗겨서 실에 꿰어 매달아 말리더군요. 사람들이 없는 틈을 타서 몰래 하나 먹어봤는데, 쫀득거리고 달콤한 것이 정말 맛있었습니다. 사람들이 그것을 '곶감' 이라고 부르는 것을 똑똑히 들었습니다."

호랑이는 너무 기가 막혀서 무슨 말을 해야 할지 몰랐어. 그렇지만 다른 동물들이 다 보고 있는데 당황한 기색을 보일 수도 없으니 한껏 여유로운 척하며 말했지.

"하하하. 곶감이 맛있다는 것은 천하가 다 아는 일. 그 곶감을 먹고 싶어서 자네들한테 물어봤다네. 나는 이만 곶감을 먹으러 가야 하니 모두 자기 자리로 돌아가거라, 어흥."

숲속 동물들이 모두 돌아가니 그제야 호랑이는 슬슬 화가 나기 시작했어.

곶감이 무서워서 겨우내 전전긍긍하며 숨어 지냈는데 고작 먹는 거라니. 얼마나 기가 막혔겠어. 호랑이는 곶감에, 아니 오두막집 엄마한테 속았다고 생각하니 억울하기까지 한 거야.

'나를 속이다니, 괘씸한 것. 당장 그 오두막집을 찾아가서 모두 잡아 먹어버려야겠군.'

그러면서도 곶감이 어떤 맛이길래 울던 아기도 울음을 뚝 그쳤을까 하고 궁금하기도 했어.

'도대체 얼마나 맛있길래 이 호랑이님이 나타났다는 말에도 울던 아기가 울음을 그쳤던 거야? 엄마를 잡아먹기 전에 먼저 곶감을 먹어봐야겠군. 그러고 나서 엄마도 한입에….'

호랑이는 그 길로 오두막집을 향해 부리나케 달려갔어.

오두막집에 도착한 호랑이는 집 안에 사람이 있는지 살펴보았지. 마침 부엌 사립문을 열고 엄마가 나오는 거야. 호랑이는 큰 소리를 내며 엄마 앞에 섰어.

"어흥, 곶감 하나 주면 안 잡아먹지."

갑자기 호랑이가 나타나니 엄마가 얼마나 놀랐겠어? 하지만 엄마가 놀라서 소리를 친다거나 무섭다고 도망을 가면 집 안에 있는 아기가 위험해질 테니 그럴 수는 없었지. 무슨 수를 써서라도 아기를 지켜야 했어. 엄마는 놀란 가슴을 진정시키며 차분하게 말했어.

"호랑이야, 곶감은 부엌 안에 있으니 가져다주마. 그런데 곶감은 큰 소리를 내거나 울면 맛이 떫어진단다. 그러니 맛난 곶감을 먹고 싶거든 소리 내지 말고 가만히 앉아서 기다리려무나.”

처음 맛보는 곶감인데 이왕이면 맛있는 곶감을 먹고 싶은 호랑이는 엄마의 말대로 가만히 앉아서 기다리기로 했어. 어차피 곶감을 먹은 후에는 엄마를 잡아먹을 심산이었거든. 얼마 후 엄마는 조그마한 것 한 개를 손에 쥐고 가지고 나왔어.

“자, 곶감이다. 이 곶감 먹고 안 잡아먹는다는 약속 지켜야 한다. 알았지?”

호랑이는 곶감을 이리저리 살펴보았어. 불그스름하고 말랑한 것이 한 손에 쥘 정도로 작았지. 이 작은 곶감 때문에 고생한 지난 세월을 생각하니 눈물도 찔끔 났어.

‘이게 바로 나를 고생시킨 곶감이로군. 잘 만났다. 그냥 한입에 꿀꺽 삼켜 버릴까? 아니지. 보잘것없이 쪼그마한 이놈 때문에 고생한 시간이 얼만데, 한입에 꿀꺽 먹어서 없애 버릴 수는 없지. 조금씩 잘근잘근 씹어 먹어서 없애줘야겠군.’

호랑이는 곶감을 조금 베어 먹었어. 어라, 이게 웬일이야! 쫀득한 것이 달콤하기도 하고 맛이 꽤 괜찮았지. 호랑이는 조금 더 크게 베어 먹었어. 눈이 번쩍 뜨이고 저절로 웃음이 나오는 맛이었지. 세상에 이렇게 맛난 것이 있었다니. 이러니 울던 아기도 곶감만 보면 울음을 뚝 그치는구나 하고 생각이 들었어.

호랑이는 자기도 모르게 곶감 한 개를 뚝딱 먹어 치웠어. 호랑이가 곶감을 한 개만 먹었냐고? 이렇게 맛난 곶감을 한 개만 먹고 그만둘 호랑이가 아니지. 호랑이는 곶감을 더 먹을 요량으로 더 큰 소리를 내었어.

"어흥, 어흥. 당장 곶감을 더 가져오지 않으면 모두 잡아먹겠다."

엄마는 호랑이의 행동을 마치 미리 알아차리기라도 한 듯이 침착하게 말했어.

"호랑이야, 아기에게 주려고 아끼던 마지막 한 개 남은 곶감을 너에게 준 거라 지금 당장은 곶감이 없구나. 곶감을 만들려면 시간이 오래 걸리니 나에게 시간을 주면 곶감을 많이 만들어 줄게."

"누가 속을 줄 알고? 너를 잡아먹어야겠다. 어흥."

"호랑이야, 지금은 계절이 봄이니 곶감을 먹으려면 가을까지 기다려야 한단다. 저기 저 나무 보이지? 그게 바로 감나무란다. 저 나무에 감이 달려야 곶감을 만들 수 있는 거야."

호랑이는 오두막집 앞에 서 있는 나무를 올려다보았어. 나무에는 열매는 없고 초록 이파리만 나 있었지.

"지금 당장 나를 잡아먹고 영영 곶감을 먹지 못하던지, 아니면 가을까지 기다렸다가 내가 만들어 주는 곶감을 실컷 먹고 그다음에 나를 잡아먹어도 늦지 않을 것 같은데. 어떠냐? 가을까지 기다려 보련?"

가만히 생각해 보니 아기 엄마의 말도 일리가 있는 거야. 가을까지만 기다리면 곶감도 먹고 엄마도….

"좋다. 대신 그사이 도망을 치거나 다른 마음을 먹는다면 너와 아기는 무사하지 못할 것이다. 알겠느냐? 어흥!"

호랑이는 무섭게 으르렁거리며 말했지만, 사실 곶감을 실컷 먹을 생각에 기분이 좋아져서 살랑살랑 꼬리를 흔들며 동굴로 돌아갔어.

시간이 흘러 날씨가 점점 더워지는 거야. 여름이 된 거지. 이번 여름은 얼마나 덥던지! 더위에 지쳐 입맛도 없어진 호랑이는 곶감 생각이 절로 났어. 이럴 때 달콤한 곶감 한 입이면 입맛도 살아나고 더운 여름도 거뜬하게 잘 보낼 수 있겠다 싶었지. 또 혹시 모르잖아. 엄마가 이미 곶감을 만들어 놓았을 수도 있을 테니 말이야. 호랑이는 어슬렁어슬렁 오두막집을 찾아갔어. 그런데 오두막집 감나무에 초록색 열매가 달린 게 아니겠어?

호랑이는 엄마에게 또 속았다고 생각했어. 화가 머리끝까지 났지 뭐야.

"어흥! 벌써 감이 달렸는데 가을까지 기다리라고 나를 속였겠다. 당장 곶감을 내놔라."

호랑이는 무시무시한 이빨을 드러내며 으르렁거렸어.

"호랑이야, 저 감은 지금 먹을 수가 없단다. 감은 주황색으로 익어야 먹을 수 있는 거야. 감이 익을 때까지 기다려야 해. 설마 숲속의 왕인 호랑이가 그걸 모를 리는 없겠지?"

가만히 생각해 보니 까치도 주황색 감을 먹었다고 했었잖아.

'아하! 감은 주황색이 되어야 먹을 수 있는 거구나.'

호랑이는 머쓱해졌어. 그렇지만 한껏 아는 척을 하며 말했지.

"당연히 알고 있지. 이 호랑이님이 그깟 거를 모를까 봐? 곶감이 잘 만들어지고 있나 궁금해서 한번 물어본 거야. 지금은 그냥 돌아가지만 감이 익으면 바로 곶감을 만들어 바쳐라."

"그럼 그럼, 그러고말고. 걱정하지 말고 돌아가 있거라."

호랑이는 다시 동굴로 돌아왔지.

어느새 뜨거운 여름이 지나고 제법 선선한 바람이 불기 시작했어. 푸르던 나뭇잎도 점점 노랗고 붉게 물이 들어가고 숲속 동물들도 겨우내 먹을 것을 미리 저장하느라 분주해졌지. 맞아. 호랑이가 기다리던 바로 그 가을이 시작되고 있었던 거야. 호랑이는 들뜬 마음에 오두막집으로 한달음에 달려갔어.

아니나 다를까. 감나무에는 주황색 감이 주렁주렁 달린 게 아니겠어. 나무에 달린 감을 보니 입에 침까지 고이는 거야. 더는 참을 수가 없었지.

"어흥, 곶감을 내놓아라."

호랑이 소리에 집 안에 있던 엄마가 서둘러 나오며 말했어.

"호랑이야, 아직은 곶감이 없단다. 더 기다려야 해."

호랑이는 엄마가 거짓말을 하고 있다고 생각했어. 눈앞에 저렇게 많은 감이 달려있는데도 없다고 하니 어처구니가 없었지. 호랑이는 더 큰 소리를 내며 엄마를 재촉했어.

“어흥, 어흥! 저렇게 감이 많이 달렸는데 곶감이 없다는 것이 말이 되느냐. 거짓말하지 말고 당장 내놓아라.”

엄마는 지금 막 아기를 재우고 나온 거야. 호랑이가 큰 소리를 내면 아기가 잠에 깨서 울게 될 테고 그러면 자칫 위험해질 수도 있을 테니 조심해야 했어. 엄마는 얼른 나무에 달린 감을 한 개 따서 호랑이한테 주었어.

“내 말을 정 못 믿겠다면 한번 먹어보아라.”

반들반들한 것이 색도 얼마나 고운지. 또 맛은 얼마나 좋을는지. 호랑이는 기대에 차서 주황색 감을 한 입 크게 베어먹었어. 그런데 이게 어찌 된 일이야.

“어푸푸푸, 아퉤퉤퉤.”

호랑이는 펄쩍펄쩍 날뛰었어. 달콤한 맛은커녕 쓴맛만 나고 입안이 텁텁해지는 게, 처음에 먹었던 그 곶감 맛이 아니야. 호랑이는 오두방정을 떨며 정신을 차릴 수가 없었어. 엄마는 이때다 싶어 호통을 쳤어.

“쯧쯧. 울거나 큰 소리를 내면 곶감 맛이 떫어진다고 말해줬거늘. 지금 그 맛을 떫은맛이라고 하는 거다. 감은 색이 저리 이뻐도 지금은 맛이 떫으니 먹을 수가 없단다. 좀 더 부드러워지면 껍질을 까서 말려야 맛있는 곶감이 되는 거야. 하루아침에 만들어지는 게 아니란 말이다. 이래도 내가 거짓말을 한다고 생각하는 거냐!"

엄마는 작지만 강한 소리로 말했어.

"앞으로 우리 집에 오거든 대문 앞에 조용히 앉아 기다려라. 그러면 맛있는 곶감을 먹게 될 것이고 큰 소리를 내거나 으르렁거리면 네가 먹을 곶감이 모두 떫어질 것이니 그렇게 알고 돌아가 있다가 한 달 뒤에 다시 오너라."

단호한 엄마 모습에 호랑이도 기가 죽어 아무 말도 하지 못했지. 떫은 감을 먹어 정신이 없는 데다가 엄마한테 혼쭐이 난 호랑이는 잔뜩 풀이 죽어 동굴로 돌아왔어. 곶감 먹기가 이렇게 오래 걸리고 어려울 줄이야.

시간이 지나 한 달이 되었네. 드디어 맛있는 곶감을 먹을 수 있는 날이 온 거야.

호랑이는 한달음에 오두막집으로 달려갔어. 감나무에는 꼭대기에 몇 개만 달려있을 뿐 그 많던 감은 보이지 않았지.

'감이 다 어디로 갔지? 그렇지. 엄마가 감을 곶감으로 만들어 놓았을 거 아냐? 이제 곶감을 실컷 먹을 수 있겠구나.'

그런데 엄마가 보이지 않는 거야. 급한 마음에 호랑이는 큰 소리로 '어흥' 하고 엄마를 부르려다가 멈칫했어. 엄마가 했던 말이 생각났거든.

'아차, 조용히 앉아 기다려야 맛있는 곶감을 먹을 수 있고 큰소리를 내거나 울면 곶감이 떫어진다고 했었지.'

떫은 감을 먹고 혼이 났던 호랑이는 그때를 생각하니 몸서리가 쳐지는 거야. 다시는 떫은맛을 또 맛보고 싶지는 않았거든. 호랑이는 대문 앞에 조용히 앉아 엄마를 기다리기로 했어.

엎드려서 한 시간 뒹굴뒹굴 두 시간. 맛있는 곶감을 먹기 위해 호랑이는 엄마가 하라는 대로 조용히 기다렸지. 곶감 먹을 생각을 하니 지루하지도 않았어.

아까 호랑이가 왔을 때 엄마는 집 안에 있었어. 호랑이가 대문 앞에 앉아있는 것을 보고 가슴이 철렁했지. 그래, 호랑이에게 물려가도 정신만 차리면 산다고 했잖아. 어떻게 하나 가만히 보니 시키는 대로 소리도 안 내고 얌전히 앉아있네.

'호랑이 녀석, 곶감을 먹고 싶어 안달이 났구나.'

엄마는 방문을 열고 바로 나가면 호랑이가 달려올까 봐 뒷문으로 나가서 마당을 빙 돌아 호랑이 앞에 섰어. 엄마를 본 호랑이는 얼마나 반갑던지. 소리를 내면 안 되니까 꼬리를 살랑거리며 엄마 주위를 빙빙 도네. 그 꼴이 꼭 동네 강아지 같아.

"흐흥, 흐흥. 곶감을 내놔라."

"조용히 기다리라는 약속을 잘 지켰으니, 곶감을 가져다주마."

엄마는 부엌에서 곶감 한 개를 가져다주었어.

이게 얼마나 기다리고 기다리던 곶감이야. 한 번 냄새 맡고 한 번 핥아보고. 호랑이는 곶감이 아까워서 한입에 먹지도 못해. 조금씩 조금씩 떼어먹는 곶감 맛이 그야말로 둘이 먹다가 하나 죽어도 모르는 맛이야. 그렇게 아껴 먹었는데도 마파람에 게 눈 감추듯 곶감 한 개를 먹어버렸네. 호랑이는 더 많이 먹고 싶어졌어.

"이 호랑이님은 곶감을 많이 먹어야겠다. 곶감을 많이 가져오너라."

"호랑이야, 곶감은 아무 때 아무나 먹을 수 있는 음식이 아니야. 오래 기다려야 하고 또 정성도 많이 드려야 하는 음식인 만큼 착한 일을 해야 먹을 수 있지. 오늘처럼 조용히 있으라는 약속을 잘 지켰으니 달콤한 곶감을 먹을 수 있었던 거지, 아니었으면 지난번처럼 떫고 쓴 곶감을 먹었을 거다."

"떫은 감은 말도 꺼내지 마라."

호랑이는 기겁했어.

"그러면, 어떻게 하면 계속 맛있는 곶감을 먹을 수 있는데? 방법을 알려줘."

"내가 알려주면 하라는 대로 할 수는 있고?"

"이 호랑이님을 뭐로 보고? 나는 한 번 약속하면 지키는 호랑이다 이 말씀이야."

"그러면 먼저 나한테 존댓말을 쓰거라. 너는 똑똑한 호랑이이니 어른한테는 존댓말을 해야 하는 건 알고 있겠지. 할 수 있겠니?"

순간 호랑이는 갈등했어. 숲속의 왕인 호랑이인데, 존댓말을 하라니. 그렇다고 곶감을 포기하기에는 기다린 시간이 너무 아깝고. 당장 엄마를 잡아먹을까 생각도 했지만 그러면 영영 곶감을 못 먹을 테고. 호랑이는 어떻게 했을까?

"해볼게. 해볼게…요."

급한 마음에 우선 곶감부터 먹어보자는 생각이었지. 어차피 엄마는 나중에 잡아먹을 테니까.

"그렇지. 처음 하는데도 정말 잘하는구나. 곶감 하나 더 먹어라."

그 순간이었어. 호랑이는 기분이 이상해졌어. 좀 간지러운 거 같기도 하고 부끄러워지는 거 같기도 하고 기분이 말랑말랑해지는 것 같았지. 사실 호랑이는 생전 처음으로 칭찬을 들은 거였거든. 그동안 호랑이만 보면 도망치거나 숨기 바빴지, 그 누구 하나 호랑이에게 위로나 칭찬하는 말을 해 주지 않았어. 천하무적 호랑이도 이런 말들이 듣고 싶었거든. 그런 호랑이가 칭찬을 받은 거야. 그것도 자기가 잡아먹으려 하는 사람한테. 칭찬받고 먹는 곶감이 더 달콤하게 느껴지는 건 기분 탓인 걸까? 왠지 이런 벅찬 기분을 더 느끼고 싶어졌어.

"어떻게 해야 하는지 알려주세요."

"이제부터는 사람은 잡아먹지 말아라."

"맹세코 사람을 잡아먹은 적은 한 번도 없어요. 같이 놀고 싶어서 다가가면 도망만 가니까 심술이 나서 잡아먹겠다고 말만 한 것뿐 이라고요."

"그랬었구나. 그래도 겁을 주거나 다치게 해도 안 된다. 할 수 있지?"

"그럼요. 할 수 있어요. 약속할게요."

"나도 네가 잘할 것이라 믿는다. 곶감 하나 더 먹으렴."

호랑이가 자기를 믿는다는 말을 몇 번이나 들어봤겠어? 태어나서 처음이었지. 말만 들어도 배가 부르다고 하던데 그게 바로 이런 기분인가 싶었지. 자기를 칭찬해 주고 믿어주는 사람을 어떻게 잡아먹겠어? 오히려 호랑이는 더 잘하고 싶은 마음이 커졌어. 이제부터는 곶감이 문제가 아니야. 곶감보다 더 달콤하고 맛있는 말들이 있다는 걸 알아버렸지 뭐야.

"숲속에 돌아가거든 하루에 한 번씩 착한 일을 해보겠니? 착한 일 한 번에 곶감 한 개를 줄게. 할 수 있겠지. 내가 너를 응원하마."

맛난 곶감 하나 먹으려고 했을 뿐인데, 곶감도 먹고 칭찬도 듣고 이거 일거양득일세.

"그럼요. 해볼게요. 내가 얼마나 잘 해내는지 믿어보세요."

호랑이는 뿌듯한 마음을 안고 숲속으로 돌아갔어.

그래서 어떻게 됐냐고?

늦은 밤 숲속에서 만난 떡장수를 집까지 안전하게 태워다 주고 곶감 한 개 얻어먹고, 팥죽 할머니한테는 무거운 팥 가마니를 옮겨주고 곶감 한 개 얻어먹고….

곶감을 먹으려고 착한 일을 하는 건지, 착한 일을 하려고 곶감을 먹는 건지, 여하튼 하루에 한 개씩 곶감을 먹으며 곶감보다 달콤한 칭찬을 더 좋아하는 호랑이가 됐다나 봐.

그런데 정말 나쁜 일 하면 떫은 곶감이 되고 착한 일 하면 맛난 곶감이 되냐고?

그건 호랑이한테 물어보렴.

목민심서 – 다산 정약용 –

말을 많이 하지 말며 격렬하게 성내지 마라. 화가 날지라도 분노를 드러내지 않고 억제하여 마음 속에 가둬 둔다.

제비 왕국에 간 놀부

글. 박경숙 그림. 강민규

|저자소개| 문화나눔연구소 대표
나래PBL교육연구소 연구교수, 대경문학회 이사
아동문학가, 그림책지도사, 시인, 동화구연가
독서 · 스피치지도사

|저서|
〈바람과 구름〉, 〈한여름 밤의 가출〉, 〈불국사에 핀 한국의 꽃〉, 〈방구뽕 삼총사〉, 〈타임머신이 아그작 아그작〉, 〈모음 말놀이 동시집〉, 〈자음 말놀이 동시집〉, 〈대경문학회 동인지〉 외 다수

|작품소개| 흥부네 집에 살게 된 놀부는 모든 게 못마땅합니다. 봄이 되어 제비들이 흥부네 처마 밑에 제비집을 지으려는데 놀부가 방해를 합니다. 어느 날 제비들이 놀부를 제비 왕국으로 데려 가는데, 제비 왕국에 간 놀부는 과연 어떻게 될까요?

흥부네 집에 함께 살게 된 놀부 부부는 기가 막힐 노릇이었어. 대궐 같은 집에 부족한 거 하나 없이 살다가 동생네 행랑채에 얹혀살게 되니 체면이 말이 아니었지. 그래서 애꿎은 돌쇠만 타박했어.

"이게 밥이냐 똥이냐? 발로 만들어도 이것보다는 맛있겠다. 다시 만들어 오너라."

밥 한술 입에 넣던 놀부가 갑자기 밥상을 획 밀었어.

"그럴 리가 없습니다유. 흥부 대감님은 맛있다고 밥을 두 그릇이나 비웠구먼유."

"뭐라? 돌쇠 이… 이놈이 감히 우리의 고급 입맛을 타박해? 네 이놈 혼쭐이 나야 정신을 차리겠느냐? 당장 다시 해 오지 못할까!"

놀부에게 질세라 놀부 마누라도 꽥 소리를 지르며 밥상을 밀어 버리네! 놀란 돌쇠는 허겁지겁 밥상 거두기에 바빴지.

놀부의 화풀이는 밥상만이 아니었어. 요강 가져오라 해서 갖다주면 주둥이가 작아 엉덩이 안 들어간다고 타박! 옷 입혀 달라 해서 옷 입혀 주면 숨 막혀 죽는다고 야단! 방바닥 차가워서 감기 들었다고 난리! 댓돌이 높아 무릎 아프다고 난리! 하루 내내 놀부 비위 맞추느라 돌쇠는 밥 한술 뜰 시간이 없었지.

어느 날 늦은 밤에 돌쇠가 허겁지겁 뛰어가고 있었어. 돌쇠 손에는 밥상이 들려 있었지.

"돌쇠야, 이 시간에 웬 밥상이냐?"

마당에서 달구경을 하던 흥부가 돌쇠에게 물었어.

"놀부 대감님이 배가 고프다고 하시는구먼유."

"형님께서 저녁을 안 드셨더냐?"

"말도 마십시유. 하루에 일곱 끼는 드시는 것 같은데 배가 고파 잠이 안 온다시네유."

"우리 집 찬이 변변치 않은 모양이로구나. 그나저나 돌쇠

너의 몰골이 왜 그 모양이더냐? 피죽도 못 얻어먹은 사람처럼.”

갑자기 돌쇠가 닭똥 같은 눈물을 뚝뚝 흘렸어.

“말도 마세유. 오늘 한 끼도 아직 못 먹었구먼유.”

“아니, 그게 무슨 말이더냐?”

“흥부 대감님, 빨리 가 봐야 하구먼유. 늦으면 또 밥상이 날아올까 무섭습니다유.”

휘청휘청 뛰어가는 돌쇠를 보며 흥부는 마음이 복잡해졌어. 놀부 형님을 나무랄 수도 없고, 돌쇠 편을 들 수도 없었지. 마음 약한 흥부는 가슴앓이만 했어.

“지지배배 지지배배….”

이듬해 봄이 되자 작년에 갔던 제비 한 쌍이 흥부네 집을 찾아왔어. 제비 소리를 들은 놀부는 버선발로 뛰쳐 나왔어.

“제비 소리가 어디서 나느냐? 이 몹쓸 제비를 그냥 두나 봐라!”

“영감, 당장 저것들 다리를 뚝 분질러 버리세요.”

놀부는 빗자루로 제비집을 퍽퍽 찔러댔지.

하는 수 없이 제비들은 흥부네 대문 바깥 처마 밑에 집을 지었어. 놀부가 못마땅한 제비들이 투덜댔지.

"지지배배 지지배배…. 심술궂은 놀부가 왜 착한 흥부네 집에 살게 된 거지?"

"그러게. 아직 정신을 못 차린 것 같으니, 이번에 확실히 버릇을 고쳐놓자. 지지배배 지지배배…."

그날 밤 놀부 부부가 잠을 청하려 할 때였어. 밖에서 제비들이 시끄럽게 울어댔어.

"괘씸한 제비들이 잠도 못 자게 하네요. 영감, 당장 나가봅시다."

"오늘 밤 저놈의 제비들을 끝장내버리겠소."

고래고래 소리 지르며 문밖으로 나오던 놀부와 놀부 마누라는 마루에 엉덩방아를 찧고 말았어. 글쎄, 동네 제비란 제비는 다 모여 있었지. 제비 떼들은 놀부 부부를 향해 날아왔어. 그리고 입으로 두 사람을 물고서 하늘로 올라가지 뭐야. 새까만 제비 떼는 먹구름처럼 보였고 놀부 부부는 머리털 하나 보이지 않았지.

얼마나 지났을까, 놀부 부부는 제비 왕국에 도착했어. 제비 왕국은 임금이 사는 궁궐처럼 어마어마하게 컸어. 흥부네 제비가 제비 대왕 앞으로 나섰지.

"제비 대왕님, 이 사람들이 아직도 정신 못 차리고 있었습니다."

"흠, 작년 요맘때 검은 박씨에 혼쭐이 났을 텐데 아직 그 모양이더란 말이냐! 이젠 이 방법밖에는 없구나."

제비 대왕은 놀부 부부를 노려보았어.

"놀부 너는 할 수 있는 게 무어더냐?"

놀부는 제비 대왕의 말은 듣는 둥 마는 둥 하고 왕국을 둘러 보며 실실 웃고 있었어. 왕국의 모든 벽이 황금으로 둘러싸여 있었거든. 놀부는 저걸 어떻게 집으로 가져갈까 하는 생각에 군침이 돌았지.

"놀부 이놈! 네가 할 수 있는 게 뭐냐고 물었다."

"흥! 제비 놈들을 만나기 전까지 나는 먹고 놀기만 했다. 나는 아무것도 못 한다!"

"인간으로 태어나서 어찌 그리 산단 말이더냐? 오늘부터 제비 왕국의 주방에서 제비들의 먹이를 책임지도록 하라."

"내… 내가? 너희들 밥을? 이 놀부님을 어찌 보고! 어림없는 소리. 흥!"

"두고 보자. 네가 하는지 안 하는지. 아무것도 안 하면 아무것도 먹지 못한다는 걸 알게 해 주마."

놀부는 눈도 꿈적하지 않았어. 제비 대왕이 이번에는 놀부 마누라에게 물었어.

"너는 할 수 있는 일이 무엇이냐?"

"나는 지금껏 일 안 하고도 잘 살았다. 깨끗한 방에 앉아서 모든 걸 받기만 했었지. 난 아무것도 못 한다!"

"흠, 아직도 네 현실을 모른단 말이더냐? 잘 되었다. 오늘부터 제비 왕국을 청소하며 살도록 하라. 그렇지 않으면 너도 쌀 한 톨 먹을 수 없다."

그러든 말든 놀부 부부는 꿈쩍도 하지 않았어. 제비들이 사라지자마자 놀부와 놀부 마누라는 벽에 붙은 황금을 떼어내려고 애를 썼어. 하지만 황금은 꿈쩍도 하지 않는 거야. 혀로 핥아도 보고, 입으로 호호 불어도 보고, 주먹으로 쿵쿵 쳐 보기도 하고, 발로 팡팡 차 봐도 황금은 꿈쩍도 하지 않네. 약 올리기라도 하듯 반짝반짝 반짝거릴 뿐이었어. 놀부 부부는 할 수 없이 황금을 포기했지.

이번에는 왕국에서 빠져나갈 곳을 찾아보았어. 그런데 아무리 둘러보아도 나갈 곳이라고는 어디에도 없었어. 그도 그럴 것이 하늘만큼 높은 뾰족 천장에 제비 한 마리 날아갈 정도의 구멍 하나 있을 뿐인데 놀부가 그걸 발견할 수 있었겠어?

안간힘을 쓴 놀부는 점점 배가 고팠어. 그래도 꾹 참고 안 그런 척 시침을 떼고 있었지. 한 시간 두 시간 세 시간, 한나절, 하루가 지나자, 배가 고파 아무것도 보이지 않았어. 하루에 대여섯 끼를 먹던 놀부였으니 오죽 배가 고팠겠어?

"제비 대왕! 제비 대왕, 어디 있는 게냐?"

참다못한 놀부는 고래고래 소리를 질렀어.

"허허, 아직 고함 지를 힘이 남아 있군!"

제비 대왕과 제비들이 뾰족 천장에서 날아왔어.

"어서 나를 집에 데려다줘라. 아니면 뭐든 먹을 걸 가져와라. 배고프다!"

"쯔쯔쯧! 아직도 네가 무얼 해야 하는지 모르는구나. 좀 더 굶어야 정신을 차리겠군!"

"흥! 나는 아무것도 못 한단 말이다. 밥이나 가져와라!"

놀부는 고래고래 소리를 질렀어. 놀부 마누라도 질세라 짱그랑짱그랑 고함을 쳤지. 제비들이 눈살을 찌푸리며 똥을 찍

찍 쌌어. 제비 똥이 사정없이 여기저기 떨어지지 뭐야. 놀부 부부는 이리저리 피하며 더 고래고래 소리를 질렀어. 밤이 홀딱 새도록 말이지.

물 한 모금 먹지 않고 이틀을 꼬박 그렇게 버티다 보니 놀부는 배가 고파서 눈에 뵈는 게 없었어. 땅바닥에 떨어진 똥이 콩인 줄 알고 씹어 먹을 정도였으니 할 말 다 했지. 그쯤 되니 놀부가 제비 대왕을 잡고 늘어지네!

"제비 대왕님, 뭐든 먹을 것 좀 주십시오. 배가 고파 죽을 지경입니다요."

"우리 왕국에는 놀고먹는 제비는 하나도 없다. 놀부는 주는 밥만 먹어봤으니 직접 남을 위해 먹거리를 만들어 보거라. 주방으로 들어가서 제비 식사 준비하는 일을 돕도록 하라. 놀부 부인은 깨끗하게 청소한 집에서만 살았으니 남을 위해 청소를 하거라. 제비 왕국을 말끔하게 청소하여라."

당장 쓰러질 것 같았지만 뭐라도 얻어먹으려니 시키는 대로 하는 수밖에.

왕국 주방으로 들어간 놀부는 깜짝 놀랐어. 제비들 먹거리 준비하는 주방이라 해 봐야 행랑채 정도로 생각했는데 끝이 보이지 않을 정도로 넓었어. 놀부는 산더미같이 쌓여 있는 먹이탑에서 깨알보다 작은 모래를 골라내는 일을 했지. 하루 내

내 그 일을 하자 손이 덜덜 떨리고 눈앞이 어질어질했어. 저녁이 되자 눈먼 사람처럼 앞이 통 보이지 않을 정도였지.

놀부 마누라도 놀라기는 마찬가지였지. 손바닥보다 작은 제비들이니 집이라고 해 봤자 콧구멍만 하려니 생각했는데 방이 끝없이 이어져 있지 뭐야. 어림잡아 백아홉 칸은 되어 보였어. 하지만 어쩌겠어. 밥이라도 한술 얻어먹으려면 꾹 참고 일하는 수밖에. 이 방 저 방 다니며 먼지 털고, 깃털 쓸어내고, 아무리 똥을 닦아도 할 일은 끝이 없었지. 먼지 때문에 재채기에 눈물 콧물 범벅이 되었어.

두 사람은 배도 고프고, 도망갈 곳도 없고, 시키는 일을 할 수밖에 없었지. 밤이 되자 두 사람은 제비 대왕 앞에 불려 갔어.

"일을 해 보니 어떠냐?"

"그런 건 묻지 마시고 어서 밥이나 주십쇼."

"너희들처럼 일을 못 하는 사람은 처음 본다만 약속대로 먹을 걸 주겠노라."

제비들이 내놓은 건 두 대접의 쌀뿐이었어. 쌀밥에 고기 반찬을 생각하던 놀부는 화가 머리까지 치솟았어.

"아니, 이… 이게 뭐야? 쌀을 어찌 먹으라는 거야? 사람은 밥을 먹지 쌀을 먹지 않는다!"

놀부 마누라도 악을 쓰며 눈물까지 흘렸지.

"제비 왕국에는 쌀 밖에 없다. 여기는 제비 왕국이니 제비 왕국의 법을 따르는 게 당연하지. 먹지 않으면 당장 치우도록 하겠다."

제비 대왕은 당장이라도 쌀 대접을 거둬 갈 태세였지.

"아닙니다요. 먹겠습니다."

놀부는 찬밥 더운밥 가릴 때가 아니었어. 왕국에 온 이후 물 한 모금 먹지 못했거든. 이 쌀마저 안 먹으면 살아 돌아갈 수 없을 것 같았지. 놀부는 쌀을 한 줌 입에 넣은 뒤 오물오물 씹었어. 입가로 쌀이 줄줄 흘러내리는 걸 손으로 틀어막으며 우적우적 씹었지. 놀부 마누라도 하는 수 없이 쌀을 한소끔 입에 넣었어. 흘러내리는 눈물을 쓱쓱 닦으면서 말이야.

다음 날 아침 제비 대왕의 불호령에 깜짝 놀라 놀부 부부는 눈을 떴어.

"해가 뜬지 언제인데 아직껏 자고 있느냐! 당장 각자 일터로 가거라."

놀부 부부는 몸이 천근만근 같아서 일어날 수가 있어야지. 태어나서 한 번도 안 해 본 일을 하루 내내 했으니, 몸이 말을 듣겠어? 게다가 쌀이 뱃속에서 밥이 되고 있는지 배가 부글부글 끓어서 도저히 움직일 수가 없었지. 그날 두 사람은 당연히 쌀 한 톨 먹지 못했어.

그다음 날이 되자 뱃가죽이 등에 붙은 것 같았어. 제비 대왕의 불호령에 놀라 놀부는 주방으로, 놀부 마누라는 방으로 들어가서 일을 했지. 저녁이 되자 제비 대왕이 쌀 한 대접씩을 나눠 주었어. 당연히 맛이 없었지. 하지만 찬밥 더운밥 가릴 때가 아니었어. 두 사람은 오물오물 쌀을 씹어 먹었어.

그렇게 몇 날 며칠이 지났어. 이제 제비 대왕의 불호령은 들리지 않았어. 놀부 부부가 제비 대왕보다 일찍 일어나 각자의 일터로 나갔거든. 그렇게 며칠이 지나자 달라진 게 있었지. 아침마다 놀부 부부에게 쌀 한 대접씩이 주어졌다는 거야. 뱃속에 먹을 것이 들어가자 두 사람은 일하는 것이 덜 힘들었어. 해도 해도 끝이 없을 것처럼 높던 먹이탑이 차츰차츰 낮아지더니 마침내 놀부는 먹이탑 속의 모래를 다 가려냈어.

제비 왕국의 방은 또 어떻고? 놀부 마누라 덕분에 모든 방들이 깃털 하나, 먼지 하나, 똥 하나 없이 깨끗해졌어. 이제 놀부 부부는 눈 감고도 할 수 있을 만큼 일을 척척 해냈어. 그러다 보니 시간이 남아돌아 다른 제비의 일도 도와줬지. 다른 제비들 일이 어떤 일인지 궁금하지? 아기 제비에게 벌레 먹이기, 아기 제비 목욕 시키기, 아기 제비 옷 짓기, 아기 제비 재우기 등 아기 제비들 돌보는 일이었어. 이제 제비 왕국의 제비들은 놀부와 놀부 마누라를 좋아하게 됐어. 제비들이 하루 내내 할 일을 놀부 부부는 한 시간 만에 뚝딱 해치웠으니 좋아할 만도 하지. 놀부 부부도 제비들과 지내는 게 재미가 있었지.

어느 날 놀부 부부는 제비 대왕 앞에 불려 갔어. 놀부 부부는 까무러치게 놀라고 말았어. 글쎄 궁궐의 왕이나 먹을 법한 음식들이 잔뜩 차려 있지 뭐야.

"허허허…, 가까이 와 어서 앉으시게."

제비 대왕의 목소리는 한없이 부드러웠지.

"이게 다 뭡니까요?"

눈이 휘둥그레진 놀부가 물었어.

"우리를 위해 이 음식을 차려 놓으신 거예요?"

놀부 마누라가 울먹이며 말했지.

"맞네. 자네들을 위한 음식이라네. 그동안 제비 왕국에서 일하느라 애썼으니 어서 맘껏 먹게나."

쌀 대신에 눈처럼 고운 하얀 밥이 놓여 있었지.

"제비 대왕님, 잘 먹겠습니다."

"흑흑…, 태어나서 이렇게 맛있는 음식은 처음 먹어 봅니다요."

놀부 부부는 마파람에 게 눈 감추듯 음식을 먹었어.

"오늘 다시 집으로 돌아가거라."

"예? 정말입니까? 감사합니다. 정말 감사합니다."

"돌아가서는 열심히 살도록 하여라. 마지막으로 선물을 하나 주겠다. 이 왕국에서 무엇이 갖고 싶으냐?"

놀부 부부는 배가 부르니 갖고 싶은 게 하나도 없었지. 금은보화도 부럽지 않았어.

"그냥 박씨 하나 주십시오."

"허허허…, 그리하거라."

제비 왕국에 올 때처럼 놀부 부부는 제비들에게 휩싸여 집으로 돌아갔어.

"형님! 형님! 도대체 어디 갔다 오신 겁니까요?"

흥부가 버선발로 놀부를 맞았어.

“흥부야, 잘 있었느냐? 세계를 한 바퀴 돌고 왔다. 에헴!”

“그나저나 형님 형수님, 몰골이 이게 뭡니까요? 그리고 이 새똥 냄새는 또 뭐고요?”

“허허허…, 우리는 괜찮다. 흥부야, 이제 우리가 알아서 살아가마. 그동안 우리 때문에 고생 많았다.”

놀부 부부는 흥부네 집을 나와 어느 산골 오두막으로 갔어. 둘은 박씨를 정성껏 심고 물을 주었어. 여름이 되자 놀부네 지붕 위에 아주아주 커다란 박 세 개가 열렸어. 놀부 부부는 박을 따서 타기 시작했어.

“슬금슬금 박을 타세. 이 박을 타서 박죽 끓이고, 박나물 무치고, 우리 둘이 행복하게 잘 살아 보세.”

‘펑!’

“응애응애…!”

첫 번째 박 속에서 예쁜 여자아이가 나왔어.

“어? 우리에게 딸이 생겼소. 아이구 좋아라! 경사 났네, 경사 났어.”

“어서 두 번째 박도 타 봅시다.”

“슬금슬금 박을 타세. 이 박을 타서 박죽 끓이고, 박나물 무치고, 우리 셋이 행복하게 잘 살아 보세.”

'펑!'

"응애응애…!"

두 번째 박 속에서 씩씩한 남자아이가 나왔어.

"어? 우리에게 아들이 생겼소. 아이구 좋아라! 경사 났네, 경사 났어."

"어서 세 번째 박도 타 봅시다."

"슬금슬금 박을 타세. 이 박을 타서 박죽 끓이고, 박나물 무치고, 우리 넷이 행복하게 잘 살아 보세."

'펑!'

세 번째 박 속에서 무엇이 나왔게? 남자아이? 여자아이? 그럴 것 같지? 하지만 아니야. 세 번째 박 속에서는 하얀 쌀이 끝없이 나왔대. 두 사람은 쌀을 자루에 담았어. 그런데 담아도 담아도 쌀이 계속 나오는 거야. 그날 박에서 나온 쌀이 아마 천 섬은 되었다지? 당연히 흥부도 형님네 소식을 듣고 달려왔어. 놀부는 동생네 식구들을 위해 맛있는 음식을 푸짐하게 대접했지. 그 후 놀부 부부는 아들딸 키우며 행복하게 잘 살았대.

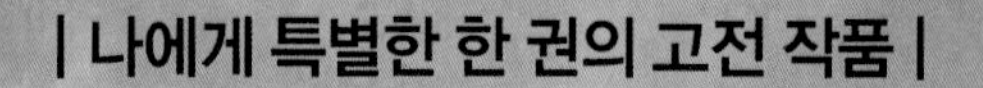

서시 – 윤동주 –

죽는 날까지 하늘을 우러러
한 점 부끄럼이 없기를
…
별을 노래하는 마음으로
모든 죽어가는 것들을 사랑해야지

파트라슈와 기적의 이야기

글 신재림 그림 미미주

|저자소개| 초등학교에 들어가기 전 살았던 집에는 비밀의 문이 있었습니다. 그 문을 지나면 부모님께서 저와 언니를 위해 버리지 않고 간직한 수십 권의 책으로 가득한 창고가 나왔습니다. 그 창고에서 삶을 배웠습니다. 동심을 잃지 않도록 그때 만났던 세상을 되뇌며 살아갑니다. 고등학생 시절에는 아버지와 함께 '그리스인 조르바', '신곡' 등을 읽으며 이야기 나누는 것을 좋아했습니다. 나의 철학이자 자랑인 나의 부모님과 언제나 든든한 조력자인 언니에게 이 자리를 빌려 감사의 인사를 전하고 싶습니다. 우리는 살아가는 동안 많은 마음을 만나고 헤어집니다. 헤어 나오지 못할 슬픔으로 인해 어둡고 조용한 곳에 자신을 유기하기도 합니다. 떠나간 것에 대한 마음은 남겨진 것의 몫이라지만, 그 후회가 너무 사무치지는 않았으면 좋겠습니다. 어떠한 단어로도 설명되지 않는 사랑스러운 마음을 느끼며 살아갔으면 좋겠습니다. 누군가와 함께하는 순간이 넬로의 마음의 그려진 그림처럼, 삶의 이유가 되었으면 좋겠습니다. 마지막으로 제 이야기를 전할 기회를 주신 '남궁기순' 상상나래 대표님께 감사드립니다.

|작품소개| 결국 '죽음'이라는 결말을 맺게 된 '플랜더스의 개'를 넬로와 파트라슈가 꿈꾸었던 '희망'이 현실이 되는 결말로 재창작하였습니다.

「We wish you a merry Christmas
We wish you a merry Christmas
We wish you a merry Christmas
And a happy new year

Good tidings we bring To you and your kin
Good tidings for Christmas
And a happy new year …」

「우리는 당신이 즐거운 크리스마스를 보내길 바라요
당신의 크리스마스가 행복하기를 바라요
당신의 크리스마스가 정말 기분 좋기를 바라요
그리고 행복한 새해도요

당신과 가족에게 좋은 소식을 가져올 거예요
크리스마스에 좋은 소식을
그리고 행복한 새해가 되길 바라요 …」

유난히 궂은 날씨가 이어지던 어느 크리스마스이브. 거리에는 화려한 불빛들과 성탄절을 알리는 노래들이 가득했다. 사람들의 행복한 웃음소리와 맛있는 음식 냄새에 거센 눈보라도 조금씩 잦아드는 것 같았다. 그 시각 네덜란드 안트베르펜의 성모 대성당에는 넬로와 파트라슈가 서로를 안고 어떤 그림을 바라보고 있었다. 그 그림은 루벤스의 〈십자가에 올려지는 그리스도〉와 〈십자가에서 내려지는 그리스도〉 두 그림이었다. 달빛에 비친 그림들은 넬로와 파트라슈에게 마음의 안식을 주는 듯 보였다. 넬로는 두 그림을 보며 탄성을 내질렀다.

특히 〈십자가에서 내려지는 그리스도〉의 그림에서 눈을 떼지 못했다. 몸을 축 늘어뜨린 그리스도의 아름다운 모습과 그를 부축하는 사람들의 모습, 아들의 죽음에 기절한 성모마리아. 이들의 모습은 넬로를 천국에 있다고 느끼게 했다.

"오 하느님. 이제 됐습니다!"

넬로와 파트라슈는 그림 아래 몸을 웅크리고 누워 '그곳'으로 가는 행복한 상상을 하며 눈을 감았다. 넬로의 옅은 미소를 느낀 파트라슈는 지친 몸을 움직여 넬로가 차가운 성당 바닥에 얼지 않도록 더욱 가까이 붙었다. 하지만 그날은 눈보라가 치고 유난히도 추운 날이었다. 점점 떨어지는 체온과 아득해지는 정신에 넬로와 파트라슈는 '드디어 그곳에 가는구나!' 하며 행복을 느꼈다.

그때였다. 무언가 인기척을 느낀 파트라슈는 얼어버린 눈을 살짝 떴다. 파트라슈는 자신이 보고 있는 광경에 놀라 넬로를 코로 쿡쿡 찔렀다.

"파트라슈, 이제 괜찮아. 앞으로도 괜찮을 거야."

넬로는 사라져가는 목소리로 작게 속삭였다. 넬로는 마치 눈을 뜨고 싶지 않은 사람처럼 눈을 꼭 감은 채 파트라슈에게 웃어 보였다. 파트라슈는 넬로를 더 이상 깨우지 않고 루벤스의 그림을 바라보았다.

그날 밤 루벤스의 그림에서 작은 천사들이 내려와 넬로와 파트라슈의 곁을 지켰다는 사실을 넬로는 아직도 알지 못할 것이다.

다음 날, 안트베르펜의 사람들은 루벤스의 그림과 그림 대회의 발표를 확인하기 위해 성당으로 모였다. 그들은 루벤스의 그림 아래 차갑게 식은 넬로와 파트라슈를 발견했다. 넬로가 사랑했던 알루아와 그의 아버지도 함께였다. 또한 그림 대회의 결과를 발표하기 위해 온 화가도 있었다. 그들은 모두 이 모습에 안타까운 마음을 감출 수 없었다. 그림 대회 1등은 바로 넬로였기 때문이었다.

"오 하느님. 넬로, 돌아와!"

알루아가 아버지의 팔에 매달려 울부짖었다.

"신이시여. 제가 이 아이에게 속죄할 수 있도록 해주세요. 이럴 순 없습니다."

알루아의 아버지는 그동안 자신이 넬로와 파트라슈에게 한 모든 행동을 후회하며 눈물을 흘렸다. 알루아는 넬로와 파트라슈가 떠나갔다는 사실을 믿을 수 없어 차갑게 언 넬로와 파트라슈를 꼭 껴안았다. 한참을 흐느끼던 알루아가 급히 아버지를 불렀다.

"아버지! 여기 좀 보세요! 아버지! 오 하느님."

알루아의 목소리를 들은 아버지는 알루아에게 달려갔다.

"살아있어요. 아직 우리에게 기회가 있어요. 넬로와 파트라슈를 살려주세요. 아버지."

기적적인 일이었다. 넬로와 파트라슈가 죽음의 끝에서 돌아오다니! 알루아의 말을 들은 성당의 사람들은 모두 달려와 넬로와 파트라슈의 생사를 확인했고 모두 기도를 올렸다.

"감사합니다. 하느님."

사람들은 자신이 입고 있던 두꺼운 외투를 벗어 넬로와 파트라슈를 덮었고 알루아의 아버지는 꼭 붙어있는 둘을 번쩍 안아 들었다. 순식간에 일어난 일이었다. 넬로가 살아있음을 확인한 화가는 알루아의 아버지가 떠나기 전 자신의 주소를 남겼고, 넬로와 파트라슈가 건강해지면 여기로 보내달라고 당부했다. 또 수중에 있던 돈을 건네며 치료비에 보태달라고 했지만, 알루아의 아버지는 마음만 받겠다며 자신이 해야 할 일이라는 말을 남겼다.

알루아의 집은 분주했다. 넬로와 파트라슈를 살리기 위함이었다. 먼저 넬로와 파트라슈의 몸을 분리하는 것도 어려웠다. 서로에게 얼마나 매달려 있었는지 알 수 있었다. 무리하게 둘을 떼어놓는 것은 넬로와 파트라슈가 다칠 수 있다는 생각에 먼저 체온을 올리기로 했다. 알루아의 아버지는 그 둘을 자신의 침실로 옮겨 이들이 가장 따뜻할 수 있는 환경을 만들었다. 포근한 이불을 준비하고 장작을 가득 넣은 난로를 때었다. 알루아의 어머니는 따뜻한 물과 수프를 넬로와 파트라슈의 입에 흘려주기도 했다. 알루아는 장작이 부족하지 않도록 밤새 그 둘의 곁을 지켰다.

넬로와 파트라슈의 몸이 점점 따뜻해지며 서로를 떼어낼 수 있게 되자, 넬로의 옷을 갈아입혔고 따뜻한 물로 몸을 깨끗하게 해 주었다. 다음날에는 의사가 집에 방문하여 이들을 돌보았다. 알루아와 가족들은 매일 기도했다.

'하느님. 기적을 내려주세요. 넬로와 파트라슈를 데려가지 마세요.'

알루아 가족의 간절한 기도 안에 넬로와 파트라슈는 갓 태어난 새끼가 어미 품에서 잠을 자듯 편안하고도 사랑스러운 표정으로 행복한 꿈을 꾸었다.

"파트라슈! 빨리 와!"

넬로의 목소리를 들은 파트라슈가 넬로를 향해 달려왔다. 넬로는 파트라슈를 바라보며 말했다.

"파트라슈. 여기 앉아봐. 내가 멋지게 그려줄게!"

넬로는 자신의 옆을 손바닥으로 툭툭 치며 말했다. 파트라슈는 넬로가 가리킨 자리에 앉아 넬로를 바라보았다.

"음…."

무언가 고민이 있는지 넬로는 파트라슈를 빤히 바라보더니 벌떡 일어나 어디론가 달려갔다. 파트라슈는 넬로를 따라가기 위해 자리에서 일어났다. 그때 넬로가 미소 띤 얼굴로 뒤를 돌아 소리쳤다.

"파트라슈! 거기서 기다려!"

파트라슈는 발을 멈추고 넬로가 달려간 곳만 빤히 바라보았다. 얼마 후 숨을 헐떡이며 돌아온 넬로의 손에는 하얀색의 작은 꽃이 들려 있었다.

"파트라슈 가만히 있어."

넬로는 꺾어온 꽃을 파트라슈의 머리에 놓았다.

"됐다. 파트라슈 꽃을 떨어뜨리면 안 돼."

넬로는 그렇게 말하고 흰 도화지와 색색의 물감들로 그림을 그리기 시작했다. 해가 뉘엿뉘엿 넘어갈 때까지 넬로는 그림을 멈추지 않았다. 파트라슈는 그런 넬로를 긴 시간 기다려 주었다. 드디어 넬로는 붓을 내려놓고 그림을 바라보았다.

"파트라슈 이것 봐."

파트라슈는 넬로의 말에 그 자리에서 일어났다. 파트라슈는 오랜 시간 앉아있어 다리가 저렸지만, 머리에 놓인 꽃이 떨어지지 않도록 조심스레 넬로의 곁으로 걸어갔다. 넬로는 곁에 온 파트라슈와 눈을 맞추며 이야기했다.

"파트라슈. 이 그림은 내 최고의 작품이 될 거야."

넬로의 반짝이는 눈을 본 파트라슈는 시선을 그림으로 옮겼다. 파트라슈는 꿈에서 본 그 그림을 평생 잊지 못했다. 파트라슈 머리에 꽃을 놓는 넬로와 그를 바라보는 자신이 너무도 사랑스러웠기 때문이었다. 여기에 넬로와 함께했음이 그림으로 남았다. 그 사실은 변하지 않는다는 것을 파트라슈는 알고 있었다. 또 이 그림 속 둘은 영원히 함께였다.

넬로와 파트라슈가 알루아의 집에 온 지 보름이 지났을 무렵 기적이 일어났다. 긴 잠에서 깬 넬로가 처음 본 것은 침대 옆에서 잠든 알루아의 모습이었다. 자신이 죽은 줄로만 알았던 넬로는 꿈을 꾸고 있다고 생각했다. 곁에서 곤히 잠을 자는 알루아를 잠시 물끄러미 바라보던 넬로는 시선을 옮겨 주변을 살피기 시작했다. 자신의 옆에서 눈을 감은 채 몸을 웅크리고 있는 파트라슈와 장작이 타는 소리, 바람이 창에 부딪혀 우는 소리, 알루아의 작은 숨소리가 들려왔다. 그때 어디선가 맛있는 음식 냄새가 넬로의 코를 자극했다.

'꼬르륵….'

넬로는 배고픔이 느껴져 냄새를 따라 돌덩이 같은 몸을 움직이기 시작했다. 팔과 다리는 자신의 육체라 생각할 수 없을 정도로 뻣뻣했고 무거웠다. 그렇게 다다른 곳은 알루아의 집 주방이었다. 넬로의 인기척에 고개를 돌린 알루아의 어머니는 주방 문 앞에 서 있는 넬로를 보고 놀라, 들고 있던 국자를 떨어뜨렸다.

"세상에 넬로! 알루아! 여보! 넬로가 깨어났어요!"

알루아 어머니의 환희에 찬 목소리가 집안 가득 울려 퍼졌고 이내 넬로는 자신이 살아있다는 것을 실감하지 않을 수 없었다. 자신을 끌어안고 눈물을 흘리는 어머니의 체온과 뜨겁다 못해 살갗을 따끔거리게 하는 눈물의 감촉이 넬로를 깨웠기 때문이었다. 알루아의 어머니는 자신이 꿈을 꾸고 있는 것이 아닌지 확인하려는 듯 넬로의 얼굴을 몇 번이고 바라보았다.

"넬로!"

알루아 어머니의 부름에 잠에서 깬 알루아와 아버지는 한달음에 달려와 넬로를 안고 기쁨의 안부를 묻기 시작했다. 오랫동안 눈을 뜨지 않아 걱정했다고, 미술대회 우승자는 바로 넬로 너라고 이야기했다. 이들의 이야기를 들으며 현실임을 온몸으로 느끼기 시작할 즈음 넬로는 잘 떨어지지 않는 입술을 움직였다.

"파트라슈…."

생사의 경계에서 돌아온 넬로의 첫 마디였다. 넬로의 목소리는 늦가을의 낙엽같이 금세 바스라질 것 같았다. 알루아는 넬로의 작은 속삭임을 알아채고는 넬로의 손을 붙잡았다.

"파트라슈는 계속 너와 함께였어. 가자."

알루아는 넬로와 함께 파트라슈가 있는 방으로 향했다. 넬로는 그저 자신을 이끄는 알루아의 손을 바라보며 따라 걸었다. 방에 도착하자 침대에서 몸을 일으키고 있는 파트라슈가 보였다.

"파트라슈!"

넬로는 파트라슈가 살아있는 것을 보자마자 파트라슈에게 달려갔다. 파트라슈는 자신에게 매달려 눈물을 뚝뚝 흘리고 있는 넬로의 얼굴을 연신 핥아댔다. 둘은 서로가 살아있음에 기뻐하면서도 바로 지금, 자신들이 바라던 희망이 꽃을 피우는 순간임을 알았다. 겨울이 가고 봄이 찾아왔다. 두 발을 얼어붙게 만든 눈이 녹아 그 자리에 새로운 싹을 틔우는 거름이 된다. 파트라슈와 넬로의 눈도 함께 녹아 사라지고 있었다.

넬로와 파트라슈가 어느 정도 건강을 찾아갈 즈음 알루아의 아버지는 넬로를 불렀다. 넬로를 화가와의 약속대로 그 집에 보내기 위함이었다. 넬로는 아버지의 이야기를 듣고 파트라슈에게 갔다.

"파트라슈, 나는 위대한 사람이 되고 싶어. 그러기 위해서는 더 많은 것을 보고, 배워야 해. 그래서 나는 그 화가의 집으로 갈 거야. 하지만 내가 떠나면 알루아가 외로워하지 않을까 걱정이 돼."

파트라슈는 조용히 넬로의 말을 들었다. 넬로는 조금 머뭇거리더니 다시금 말을 이어갔다.

"파트라슈. 네가 알루아의 곁에 있어 주면 안 될까? 금방 멋진 화가가 돼서 너와 알루아에게 돌아올 거야."

파트라슈는 노쇠한 몸이었다. 넬로는 이 여행이 파트라슈에게 무리가 될 것임을 알았고, 이에 혼자 떠나기로 결심한 것이었다. 넬로의 마음을 파트라슈가 모를 리가 없었다. 하지만 마음을 이해한 것과 마음은 달랐다.

"끄응…."

파트라슈가 넬로의 얼굴을 코로 툭툭 치며 작게 심술을 부렸다. 넬로는 그런 파트라슈를 힘껏 껴안았다.

"파트라슈, 나도 떨어지기 싫어. 하지만 나는 그곳에 가야만 해. 너무 늦지 않을게, 약속할게."

시간은 빠르게 흘러 넬로가 화가의 집으로 떠나는 날이 되었다. 알루아가 반대할 것이라 생각한 넬로와 아버지는 알루아 몰래 떠날 채비를 했다. 넬로의 짐은 작은 트렁크 하나면 충분했지만, 어쩐지 무언가 빠진 듯한 느낌에 출발이 늦어지고 있었다.

"넬로, 그만 가자꾸나."

알루아 아버지의 부름에 넬로가 자리에서 일어났다.

"파트라슈 다녀올게. 알루아가 일어나면 얼마나 슬퍼할지, 상상만 해도 눈물이 나는 것 같아. 파트라슈 네가 내가 되어 주어야 해. 아침에 일어나면 우리가 자주 가던 꽃밭에 핀 데이지를 알루아에게 줘. 그 화가의 집에 데이지 꽃밭이 있대. 매일 같은 꽃을 보며 아침을 맞이하자."

넬로의 인사를 알아들었는지 파트라슈가 넬로의 품으로 다가와 얼굴을 맞대었다.

"파트라슈 곧 봐."

무거운 발걸음과 설레는 마음. 넬로는 그렇게 알루아의 집을 떠났다. 화가의 집에 도착한 넬로는 주변을 살펴보기 시작했다. 생각보다 소박한 집이었다. 작은 마당과 집 주변 곳곳에 있는 작은 꽃밭들, 아침 새가 물을 마시는 조그마한 웅덩이와 그 뒤로 보이는 커다란 나무 한 그루가 눈에 들어왔다. 넬로와 알루아 아버지의 도착을 안 화가가 문을 열고 나와 이들을 반겼다.

"오! 넬로. 너를 기다리고 있었단다. 몸은 건강해진 거니?"

화가의 친근한 말에 조금은 어색함을 느꼈지만, 넬로는 씩씩하게 대답했다.

"네. 걱정해주셔서 감사합니다."

화가는 은은한 미소를 짓고 넬로와 아버지를 집 안으로 들어오게 했다. 우선 넬로가 지낼 방과 넬로에게 그림을 가르칠 장소, 비밀의 문이 있는 창고까지. 집안 곳곳을 돌아보며 넬로의 눈엔 생기가 가득해져 갔다. 화가는 캔버스 하나가 덩그러니 놓여있는 창고에서 넬로에게 파스텔을 건네주며 잠시 그림을 그리고 있겠냐고 권했다. 넬로는 색이 있는 재료로 그림을 그릴 수 있다는 사실에 기뻐하며 캔버스 앞에 앉았다. 넬로가 그림을 그리는 동안 화가와 아버지는 잠시 대화를 나누었다. 그날 이후 넬로와 파트라슈가 건강을 회복하게 된 과정, 파트라슈가 함께 오지 못한 이유 등의 이야기였다. 화가는 넬로에게 자신의 화방을 물려주고 싶다고 했다. 그러기 위해 넬로를 양자로 들여 이곳에 함께 살며 그림을 가르치겠다고 했다. 넬로에게는 꿈만 같은 기회였다. 알루아의 아버지도 이 이야기를 듣고 기뻐했지만, 넬로에게는 조금 더 나중에 이야기하기로 했다. 넬로가 그림을 그리는 것을 정말 좋아하는지, 앞으로도 그림을 그리며 살아가고 싶은 것인지 확실해지고 난 뒤에 선택할 수 있도록 하기 위함이었다. 이야기를 나누다 보니 오후가 다 되어가고 있었다. 그림에 집중한 넬로를 본 알루아의 아버지는 흐뭇한 미소를 지으며 집으로 떠났다.

화가는 가벼운 배웅을 마치고 넬로가 있는 곳으로 향했다.

"넬로, 무엇을 그리고 있니?"

화가가 물었다.

"보고 싶은 것을 그리고 있어요."

넬로의 대답을 들은 화가는 넬로의 뒤로 걸음을 옮겨 캔버스에 그려진 그림을 보았다. 넬로의 말을 듣지 않더라도 그리워하는 마음이 묻어나는 그림이었다. 거칠게 그어진 선은 오히려 가공되지 않은 순수한 마음을 투영하는 것 같았다.

"음, 아주 좋은 그림이구나 넬로."

화가의 말을 들은 넬로는 한동안 그림을 그리다 파스텔을 내려놓고 그림을 바라보았다.

"이 그림의 제목은 기적으로 할래요."

늦은 밤까지 그림은 멈추지 않았다. 자신의 그림을 보는 반짝거리는 눈과 쏟아지는 별들, 그 사이로 자신의 존재를 내비추는 달빛은 마치 그날 안트베르펜의 성모 대성당에서 본 루벤스의 그림 안에 자신도 함께 있는 듯한 기분을 들게 했다. 화가는 그런 넬로의 그림에 매료되었던 것처럼 보였다.

방으로 돌아간 넬로는 파트라슈의 부재에 대한 외로움을 느꼈다. 당장이라도 이 벅차오르는 감정을 파트라슈와 이야기하고 싶었다.

항상 함께이던 친구가 곁에 없음이 얼마나 사무치는 것인지 알 수 있었다. 그날 밤 넬로의 베개는 조금 크게 느껴졌다.

하루하루가 빠르게 지나갔다. 아침에 일어나 꽃밭에 물을 주고, 집 안을 청소했다. 서툴지만 빵과 커피를 준비해 아침 식사를 차리고, 어질러있는 그림 도구들을 제 자리에 놓았다. 화가가 시키지 않은 일이었다. 다만, 파트라슈가 없는 허전함을 덜 느끼기 위한 넬로의 유일한 방법이었다.

넬로는 그림을 배우고 그려내는 것에 필사적이었다. 한시라도 빨리 파트라슈와 알루아의 곁으로 돌아가고 싶었기 때문이었다. 하지만 그림을 그리면 그릴수록 자신의 부족함을 깨달았다. 이는 넬로를 무력감에 빠지게 하기 충분했다. 어느 날 화가는 넬로를 근처 공터에 불러 앉혔다. 해가 넘어가는 늦은 오후 무렵이었다.

"넬로. 눈을 감아보렴. 거기엔 무엇이 있니?"

넬로는 조용히 눈을 감았다. 눈을 감은 지 얼마 되지 않았을 무렵, 넬로의 눈에서 뜨거운 눈물이 흘렀다. 한참을 흐느끼던 넬로는 입을 열었다.

"할아버지와 파트라슈가 있어요. 우리는 우유배달을 했고, 작은 빵을 나누어 먹으며 지냈어요. 하지만 저는 행복했어요. 저는 매일 그림을 그렸어요. 도화지가 없어 남기지는 못

했지만, 제 마음속에 그림으로 있어요."

"아주 멋진 그림이겠구나. 그 그림들을 내게 보여줄 수 있겠니?"

넬로는 화가를 바라보곤 고개를 끄덕였다. 넬로는 가져온 도화지에 목탄으로 그림을 그려나갔다. 채색 도구는 필요하지 않았다. 넬로의 손끝을 따라 그려지는 선은 부드럽고 섬세했다. 분명 한 가지 색이었지만 그 안에는 따뜻하고 차가운 공기가 가득했다. 별이 무수히 쏟아지는 밤, 넬로의 그림도 별만큼 공터를 수놓았다.

넬로가 화가의 집에 온 지 5년이 흘렀을 무렵, 화가는 넬로를 이 집에 불러들인 이유를 말하기로 했다. 넬로를 양자로 들여 자신의 공방과 이름을 주겠다는 이야기였다. 화가의 말을 들은 넬로는 너무나 큰 은혜에 선뜻 그러겠다고 대답하지 못했다. 화가는 넬로에게 이미 알루아의 아버지와 이야기를 끝냈고, 자신의 처지를 솔직하게 털어놓기 시작했다.

화가는 넬로가 집에 오기 얼마 전 시한부 선고를 받았다고 했다. 화가에게 주어진 시간은 1년 남짓이었기에 넬로가 집에 온 그날부터 혹독하게 가르쳐 왔다고 했다. 하지만 넬로와 함께하면서 자신이 그동안 느끼지 못한 세상을 만났다고 했다. 새 삶을 얻은 것 같이 하루하루가 새로웠고, 함께 그림을 그리는 것이 설레 잠을 설친 적도 있다고 했다. 그렇게 화가는 시한부 선고 이후 5년을 더 살아내었다. 화가는 넬로를 보며 '기적의 아이'라고 했다. 그러면서 넬로의 그림은 분명 누군가에게 희망을 주는 그림이 될 것이라고, 자신은 자신을 위해 너를 키워온 것이라 했다. 화가의 말을 전부 들은 넬로는 무릎에 얼굴을 묻고 어린아이처럼 엉엉 울었다. 자신을 이보다 더 확신의 찬 말로 믿어주는 사람이 있을까. 넬로는 힘들 때마다 되뇌었던 '앞으로는 더 괜찮아질 거야.'라는 말이 현실이 되었다는 것을 실감했다. 하지만 이처럼 자신을 믿어주고 가르침을 준 스승의 죽음을 받아들이기엔 아직 넬로는 어린 소년이었다.

얼마 지나지 않아 화가가 세상을 떠났다. 넬로는 슬픔에 빠져 화가와 함께 그림을 그리던 공간에서 잠을 자거나 그리거나 다시 잠을 잤다. 한동안 우울한 나날을 보내던 넬로가 나갈 채비를 했다. 파트라슈와 알루아가 너무 보고 싶었기 때문이었다. 오래된 트렁크를 열어 짐을 챙기기 시작했다. 커버린 넬로에겐 너무 작은 가방이었다. 이것저것 짐을 챙기다 작은 주머니 하나를 발견했다. 화가의 집에 온 뒤로 필요한 짐들만 꺼내 생활했기 때문에 가방을 정리하지 못한 채 5년이라는 시간이 흘러버린 것이었다. 넬로는 주머니 속으로 손을 넣었다. 까칠한 감촉이 느껴졌고 넬로는 그것을 꺼내었다. 작은 종잇조각이었다. 거기엔 짧지만 다정한 편지가 쓰여 있었다.

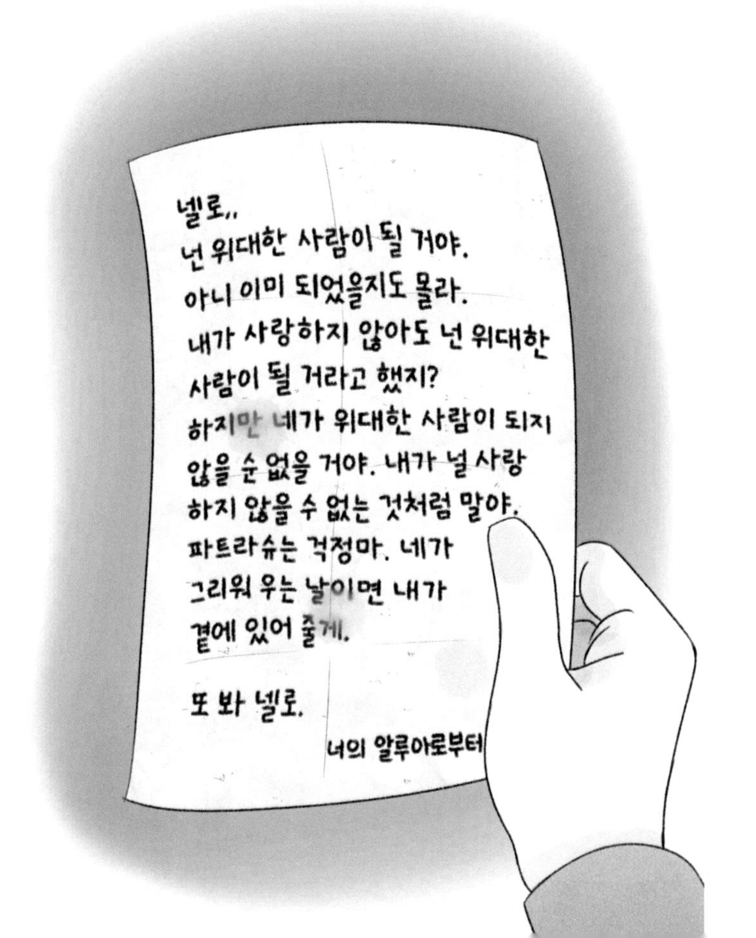
넬로,,
넌 위대한 사람이 될 거야.
아니 이미 되었을지도 몰라.
내가 사랑하지 않아도 넌 위대한
사람이 될 거라고 했지?
하지만 네가 위대한 사람이 되지
않을 순 없을 거야. 내가 널 사랑
하지 않을 수 없는 것처럼 말야.
파트라슈는 걱정마. 네가
그리워 우는 날이면 내가
곁에 있어 줄게.

또 봐 넬로.

너의 알루아로부터

알루아의 편지가 가방에 들어있다니! 알루아는 넬로가 자신의 집을 떠난다는 것을 알고 있었다. 넬로가 떠나기 전 넬로의 가방에 편지를 넣어놓고 일부러 모른 체 했던 것이었다. 넬로는 알루아의 편지를 몇 번이고 읽어나갔다. 넬로는 먹먹한 감정을 누르고 창고로 향했다. 화가의 집에 처음 온 날 그렸던 것처럼 커다란 캔버스를 꺼내고 그림을 그렸다.

2년 정도 뒤, 넬로에게 한 장의 편지가 도착했다. 발신인은 알루아였다. 기쁜 마음에 편지를 열어 본 넬로는 서둘러 알루아의 집으로 향했다. 파트라슈의 건강이 좋지 않다는 내용이었다. 알루아의 집에 도착한 넬로는 반가운 인사를 나누기도 전에 먼저 파트라슈를 찾아갔다. 파트라슈는 난로 앞 작은 깔개에 누워있었다.

"파트라슈!"

넬로의 목소리를 들은 파트라슈는 고개를 들어 넬로를 찾았지만 늙어버린 파트라슈는 앞을 잘 보지 못했다. 그 모습을 본 넬로는 파트라슈의 옆에 다가가 파트라슈를 껴안았다.

"파트라슈 늦어서 미안해. 너무 보고 싶었어."

파트라슈는 넬로의 말에 대답하듯 넬로의 얼굴을 핥았고, 꼬리로 반가움을 표현했다. 파트라슈와 넬로가 재회의 기쁨을 만끽하고 있을 때, 문 너머 넬로를 부르는 목소리가 들렸다.

"넬로. 어서 와."

알루아였다. 알루아는 그 시간 동안 더욱 성숙해져 어엿한 숙녀가 되어 있었다. 넬로는 알루아를 보며 환한 미소를 지었다.

"안녕. 알루아. 파트라슈를 잘 돌봐주어 고마워."

알루아는 넬로에게 미소로 대답하고 슬며시 파트라슈의 곁으로 다가와 앉았다. 둘은 가만히 앉아 무언의 안부를 묻는 듯 보였다. 파트라슈는 얼굴을 넬로에게 향한 채 가만히 눈을 감았다. 셋은 함께 할 시간이 얼마 남지 않음을 알았다.

다음 날, 넬로는 파트라슈를 수레에 태워 알루아와 함께 집 근처 풍차가 보이는 언덕을 찾았다. 하늘은 푸르렀고 바람은 이들을 반기듯 불어왔다. 셋은 어린 시절을 떠올렸다. 이곳에 앉아 첨탑이 보이는 언덕에 화려한 정원이 있는 집을 짓는 상상을 했던 것, 함께 미래를 그려갔던 것. 추억은 나이테처럼 겹겹이 쌓여 있었다. 넬로는 파트라슈가 누워있는 수레에 기대 잠시 바람을 느낀 뒤, 큰 천을 그늘이 지지 않는 곳에 깔았다.

"알루아 여기에 앉아봐."

알루아는 넬로의 부름에 천천히 다가왔다. 넬로는 파트라슈를 수레에서 꺼내 돗자리에 눕혔다. 파트라슈는 넬로와 함께 있다는 것이 위안이 되는 듯 보였다. 넬로는 주섬주섬 가방에서 그림 재료들을 꺼냈다. 또 수레에 싣고 온 캔버스를 꺼내 들었고 돗자리에 앉아 그동안의 이야기를 나누었다. 알루아는 방앗간의 일을 도우며 살았다고 했다. 또 나이가 차니 여기저기서 선 자리가 들어와 고생했다고 했다. 넬로는 발그레한 얼굴로 시시콜콜 이야기하는 알루아에게 따뜻한 미소를 지어 보였다. 알루아는 파트라슈의 이야기도 꺼냈다. 매일 아침 파트라슈가 어디선가 데이지 한 송이를 물어왔다고 했다. 알루아는 넬로가 떠난 뒤 외로워할 파트라슈를 위해 종종 이곳으로 산책을 왔다고 했다. 산책은 겨울에도 이어졌는데, 어느 날 추위에 떨고 있는 늙은 개 한 마리가 언덕에 쓰러져있던 것을 파트라슈가 발견했다고 했다. 알루아와 파트라슈는 서둘러 그 개를 방앗간으로 옮겼고 넬로와 할아버지가 파트라슈를 돌봤던 것처럼 지극정성으로 살폈다고 했다. 그 개의 이름은 털이 하얀색이었기 때문에 '하얀색' 이라는 뜻을 가진 '비트' 라고 지었다고 했다. 그러다 비트가 파트라슈의 아이를 가지게 되었고 한 생명의 잉태에 모두가 기뻐했다고 했다. 비트는 6마리의 개를 낳았고, 이들은 주변 방앗간에서 한 마리씩 데리고 갔다고 했다. 이후 비트와 파트라슈, 그리고 막둥이만 알루아의 집에 남게 되었는데 출산 후 1년이 되던 즈음 노산의 영향이었는지 비트가 세상을 떠났다고 했다.

막둥이는 누런 털과 갈색 눈, 얼룩덜룩한 황갈색의 무늬가 파트라슈를 꼭 빼닮았다고 했다. 이름도 파트라슈와 비트의 이름에서 딴 '파트라비'라고 지었다고 했다. 파트라비는 옆 방앗간에 잠시 맡겨졌다고 했다. 이유는 파트라슈를 돌보기 위함이었을 것이다.

한껏 알루아의 이야기를 듣다 보니 오후가 되어 있었다. 넬로의 그림도 서서히 완성되어 갔다. 알루아는 가만히 파트라슈의 곁에 누웠다.

"파트라슈. 날씨 참 좋다 그치?"

알루아는 파트라슈의 얼굴을 쓰다듬으며 눈을 감았다. 파트라슈는 알루아의 손을 핥고 알루아의 품에 가까이 안겼다. 넬로는 둘을 바라보며 그림을 그려 나갔다. 해는 어느덧 저녁 시간임을 알리고 있었다. 그새 잠이 든 알루아는 쌀쌀해지는 바람을 느끼고 잠에서 깨었다. 알루아는 하늘을 보고 있는 넬로의 뒷모습을 바라보았다.

"좋은 저녁이야. 알루아, 파트라슈."

인기척을 느낀 넬로가 인사를 건넸다.

"나는 이 풍경이 좋아. 이 노을을 보고 있으면 오늘도 정말 멋진 하루였다는 걸 느끼게 하거든. 그러면 내일을 기다려 볼 수 있게 돼. 그렇지, 파트라슈?"

넬로는 파트라슈와 함께 이곳에 있던 날들을 생각했다. 둘은 힘겨운 하루하루에도 이곳에서 내일을 살아가기 위한 희망을 얻었다. 무거운 수레와 사람들의 시선, 오직 세상에 둘밖에 없는 듯 공허한 하루하루였지만, 오늘은 그날과는 조금 다른 해가 지고 있었다. 알루아와 파트라슈, 넬로는 같은 풍경을 보고 있었다.

"이제 집에 돌아갈까?"

알루아가 말했다. 넬로는 고개를 돌려 파트라슈를 깨웠다.

"파트라슈 이제 집에 가자."

파트라슈는 움직이지 않았다. 놀란 알루아와 넬로는 파트라슈를 흔들어 깨우기 시작했다.

"파트라슈! 오, 안돼 파트라슈! 눈 좀 떠봐, 오 하느님."

가장 사랑하는 사람 곁에서 파트라슈는 긴 여행을 떠났다. 넬로는 차갑게 굳은 파트라슈를 안은 채 눈물을 흘렸다. 알루아는 넬로와 파트라슈를 안아줄 뿐이었다.

"파트라슈… 안돼. 파트라슈… 날 혼자 두지 마."

울부짖는 넬로의 품에 안겨있는 파트라슈의 표정은 평온했다. 그 표정을 본 넬로는 흐르는 눈물을 닦아내고 파트라슈를 안아 들었다.

"파트라슈, 알루아 집에 가자."

넬로의 목소리에 꾹꾹 눌러 담긴 슬픔이 알루아에게 전해졌다. 알루아의 부모님은 소식을 듣고 파트라비를 데려와 파트라슈의 곁에 내려주었다. 파트라비는 넬로를 알아보는 듯 넬로의 우는 얼굴을 몇 번 핥더니 파트라슈의 코에 자기의 코를 가져다 대며 끙끙대었다. 넬로는 파트라슈의 눈을 어루만지고 품에 얼굴을 묻어 냄새를 맡았다. 조금이라도 더 기억하려는 듯 보였다. 넬로는 무엇인가 생각난 듯 겉옷 안쪽 주머니에서 금색 목걸이를 꺼냈다.

"파트라슈…. 내가 했던 말 기억나? 크리스마스에 선물하려고 했는데…."

넬로는 목이 메어와 말을 이어 나가지 못했다. 넬로는 눈물을 뚝뚝 흘리며 파트라슈의 목에 목걸이를 걸어주었다.

“넌 내 유일한 친구야 파트라슈. 사랑해, 곧 다시 만나.”

넬로는 파트라슈에게 안녕의 키스를 한 뒤 파트라슈가 좋아하던 이불에 파트라슈를 감싸 수레에 옮겼다. 파트라비는 떠나려는 넬로의 바짓가랑이에 몸을 비비며 마치 자신도 데려가달라는 듯 굴었다. 넬로는 파트라비를 따뜻한 눈으로 바라보며 머리를 쓰다듬었다. 넬로는 잠시 고민하는 듯 보였고, 이내 파트라비를 안고 알루아의 집을 나섰다. 알루아와 부모님은 떠나는 넬로의 등을 그저 바라볼 수밖에 없었다.

몇 달이 지나 겨울이 왔다. 크리스마스가 찾아온 안트베르펜의 거리에는 오색찬란한 조명이 마치 별처럼 반짝거렸고, 성탄절을 알리는 노래가 울려 퍼지고 있었다. 그 해 안트베르펜 성모 대성당에는 한 유명 화가의 전시회가 열리고 있었다.

성당에는 전시를 보기 위해 온 사람들이 줄지어 있었다. 알루아와 가족들도 성당을 찾았다. 전시는 성당에 온 모두가 볼 수 있도록 개방되어 있었다. 전시된 그림들은 주로 풍경을 담고 있었다. 빨간 풍차와 드넓은 숲을 그린 그림, 낡은 오두막과 주변을 화려하게 밝히는 데이지 꽃밭이 있는 그림, 눈보라 치는 겨울 안트베르펜 성당의 모습 등 사람들은 그림에 묻어 나오는 따뜻함을 음미하는 듯했다. 그때 사람들의 발길을 멈추게 한 그림이 있었다. 끝을 알 수 없는 들판이 그려진 그림이었다. 들판 위에는 그림을 그리고 있는 화가와 그를 바라보는 한 늙은이, 그리고 두 마리 개의 모습이 그려져 있었다. 그 옆에는 늙은 개의 초상화와 나무판자 위에 목탄으로 그려진 한 소녀의 초상화가 있었다. 알루아와 안트베르펜의 사람들은 기적의 그림들을 보며 플랜더스의 개를 추억했다.

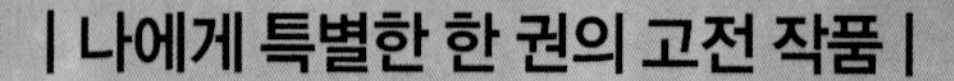

사당잠四當箴, 노애집蘆厓集 – 유도원 –

행할 때와 말할 때

행동해야 할 때 행동하면
행동해도 허물이 없고
말해야 할 때 말하면
말해도 후회가 없다.

조선 후기의 학자 유도원(柳道源)의 말이다. 사당잠(四當箴), 즉 '해야 할 일 네 가지' 에는 위의 두 구절 외에도 '해야 할 일을 하면 해서 이룸이 있다.' 와 '구해야 할 일을 구해야 하니 내 안에 있는 것을 구해야 한다.' 라는 두 구절이 더 있다. 이 글 바로 앞에는 사막잠(四莫箴), 즉 하지 말아야 할 일 네 가지를 적은 재미있는 글도 있다.
함께 웃고 함께 웃으면서 매 순간 새로운 관계를 구성할 수 있는 교감 능력 말이다.

신 개미와 베짱이

글. 이서미 그림. 성리교

|저자소개| 교육학박사, 시인, 작가, 아동문학가, 동화구연명인, 스피치 강사
한국작가협회부산지부장, 부산문인협회원

전)동부산대학교에서 1997~2018 〈아동문학〉지도
현)부산여자대학교(부모교육, 아동발달론, 언어지도, 아동권리)

| 저서 |
〈치유가 필요한 그대에게〉, 〈1인기업 퍼스널 브랜딩〉
전자출판 〈사춘기 딸에게 무릎을 꿇었다〉
〈1%의 변화로 100% 삶이 된 동화구연명인〉
〈엄마 마중〉, 〈아이들이 꿈꾸는 세상〉

|작품소개| 이솝우화 '개미와 베짱이' 스토리를 새롭게 만나 보았습니다. 원작의 개미는 열심히 일하는 대신 베짱이는 여름 내내 노래하느라 겨울에 먹을 곡식을 창고에 저장하지 못했다. '신 개미와 베짱이'는 친구들과의 관계를 중심으로 사고 하며, 즐겁게 일하는 모습을 보여주고 있다.

숲속 마을에 따뜻한 봄이 왔어요.

"아, 따뜻해, 역시 봄이 최고야."

나무들과 풀잎들이 기지개를 켜며 기뻐서 어쩔 줄 몰라요. 숲속의 곤충들도 겨울 동안 굳어있던 몸을 풀며 즐거워해요.

"아, 상쾌한 봄 냄새, 너무 좋다!"

따뜻한 햇살이 숲속 마을을 가득 채웠어요. 연둣빛 나뭇잎과 풀잎이 서로 경쟁하듯이 햇빛에 반짝반짝 빛나요. 솜털 같은 바람이 나뭇잎과 풀잎을 살살 흔들어요.

"아이, 간지러워. 하하, 호호."

나뭇잎과 풀잎이 바람을 타며 간지럽다고 깔깔 웃어요. 예쁜 풀꽃들은 서로 인사를 하느라 바빠요.

"안녕, 나는 별꽃이야."

"나는 민들레야."

"나는 은방울."

"나는 쥐 오줌."

"나는 애기똥풀."

"크, 어디선가 오줌 냄새 똥 냄새가 난다고 했지."

풀 속에 숨어 듣고 있던 곤충들이 킥킥 웃었어요.

"뭐야, 너희들은 오줌, 똥 안 누고 사니?"

"미안해, 이름이 재미있어서 그랬어. 사과할게."

"그래 사과받아 줄게."

곤충들이 자기네 잘못을 알고 재빨리 사과하자 꽃들도 다시 기분이 좋아졌어요.

여기저기서 나비들이 꽃을 찾아 날아왔어요.

"나는 흰나비."

"나는 노랑나비."

"어흥, 나는 호랑나비."

흰나비와 노랑나비가 하늘하늘 날아와 꽃 위에 사뿐히 앉았어요. 호랑이 무늬가 새겨진 호랑나비도 꽃을 찾아다녀요. 꽃들은 엄마처럼 나비들에게 꿀을 먹여주어요. 호랑나비는 흰나비와 노랑나비보다 힘이 훨씬 세지만 힘자랑 하지 않고 사이좋게 꽃에서 꿀을 빨아 먹어요. 힘이 약한 흰나비 노랑나비가 꽃에서 꿀을 먹을 때는 힘센 호랑나비는 팔랑팔랑 춤을 추며 기다렸다가 나중에 먹어요.

"흰나비, 노랑나비야, 배부르게 먹었니?"

"응 그래. 호랑나비 너도 어서 먹어."

"고마워, 너희들과 사이좋게 꿀을 먹으니까 더 맛있다."

"우리도 그래, 호랑나비와 함께 먹으니까 정말 맛있어."

곤충들도 부지런히 먹이를 구하러 다니기 시작했어요. 곤충들은 풀숲과 나뭇잎을 오가며 살지요. 나뭇잎에서 베짱이가 포르르 풀잎으로 내려와 먹이를 찾고 있어요. 베짱이는 풀잎도 먹고 모기나 땅속에 있는 굼벵이 같은 벌레를 잡아먹지요. 베짱이가 벌레를 잡으려고 땅을 살피고 있어요.

개미들이 땀을 뻘뻘 흘리며 커다란 지렁이를 끌고 가고 있어요.

"영차, 영차."

"너희들은 정말 부지런한 친구들이야. 한 시도 놀지 않으니."

"베짱이 너희들도 쉬지 않고 베를 짜잖아."

"물론 우리도 쉬지 않고 베를 짜지만 각자 개인적으로 일을 하잖아. 그런데 개미 너희들은 떼를 지어 함께 일을 하니 얼마나 좋냐구."

"우린 몸이 작아서 힘을 합하지 않으면 아무것도 할 수가 없거든."

"그래도 너희들이 일하는 걸 보면 우리 베짱이들도 신이 나서 더 부지런히 베를 짜게 되지 뭐야. 좋은 친구는 좋은 것을 가르쳐 주나 봐."

"고마워, 그렇게 생각해 줘서. 우리도 베짱이 너희들이 좋은 친구라고 생각해. 아무튼 우리 추운 겨울을 위해 지금부터 열심히 일하자."

"그래, 개미야."

다른 곤충들도 먹이를 구하러 부지런히 발발거리며 돌아다녀요.

봄이 가고 해가 뜨겁게 내리쬐는 여름이 왔어요.

“아휴, 더워, 아무것도 못 하겠어. 우리 노래나 부르며 놀자.”

다른 곤충들은 일하기가 싫어졌어요. 곤충들은 시원한 나무 그늘에서 노래를 부르거나 물가에서 물장구를 치며 놀아요. 장수풍뎅이는 물에 퐁당퐁당 뛰어들면서 재주를 부리고, 무당벌레는 울긋불긋 알록달록한 색깔을 자랑하며 이리저리 뒹굴며 재주를 부려요. 사슴벌레는 날카로운 이빨로 나뭇잎을 따서 물에 띄워놓고 손님을 기다려요. 여기저기서 몰려든 곤충들이 나뭇잎 배를 타고 물 위에서 노래를 부르며 신나게 놀아요.

하지만 개미와 베짱이는 땀을 뻘뻘 흘리며 열심히 일을 해요. 베짱이는 스르륵 쩍, 스르륵 쩍, 하는 소리를 내며 예쁜 초록 베를 짜느라 바빠요. 개미는 먹이를 물어다 창고에 쌓느라 바빠요.

“재네들 좀 봐. 이 더운 여름에 일을 하느라 땀을 뻘뻘 흘리는 꼴이라니.”

“더운 여름에 일만 하는 개미와 베짱이는 바보.”

"개미와 베짱이는 바보. 멍청이. 하하하."

다른 곤충들이 개미와 베짱이를 놀렸어요.

"개미와 베짱이가 약이 오르도록 우리 다 함께 큰소리로 노래 부르자."

"그래, 시작."

"룰루랄라 룰루랄라. 신나는 나뭇잎 배, 무더운 여름에 일하는 건 바보. 개미와 베짱이는 노래도 부를 줄 몰라. 룰루랄라 룰루랄라 우리는 신나는 나뭇잎 배 합창단."

곤충들의 노래를 듣고 있던 베짱이가 개미를 향해 말했어요.

"정말 우린 바보일까?"

"베짱이 넌 바보라는 생각이 드니?"

"글쎄, 재네 노래를 들어보면 바보인 것도 같아."

"난 바보라는 생각이 들지 않아."

"그럴까? 개미 네 생각이 맞을 거야. 넌 똑똑하니까. 그렇지만 재네들처럼 노래를 잘했으면 좋겠어."

"베짱이 넌 스르륵 찍, 스르륵 찍, 하고 노래를 하잖아. 나야말로 소리가 들릴락 말락 하는데, 그래서 소리가 너무 작을 때 '개미 소리만 하다' 고 하잖아."

"개미 네 말을 듣고 보니 그렇긴 해. 대신 너희들은 부지런히 일을 하는 게 장점이잖아."

"그거야 베짱이 너도 마찬가지지. 하루 종일 스르륵 쩍, 스르륵 쩍, 하면서 베를 짜잖아. 봄부터 여름까지는 초록빛 베를 짜고, 가을에는 알록달록 예쁜 단풍빛깔 베를 짜고."

"맞아, 그래서 우리 이름을 베짱이라고 지은 거래. '스르륵 쩍, 스르륵 쩍' 하는 이 소리가 옛날에 할머니들이 베를 짤 때는 내는 소리와 똑같다고."

"그렇구나. 아무튼 '베짱이' 라는 이름은 다정한 느낌이 들어서 좋아."

"개미도 마찬가지야. 너희들 이름은 귀여운 느낌이 들거든."

그런데 여름이 되자 숲속 마을이 무척 시끄러워졌어요. 매미가 숲이 떠나가도록 노래하기 때문이었어요. 매미는 쉬지 않고 밤낮도 가리지 않고 노래를 해댔어요. 숲속의 곤충들이 모두 귀를 틀어막지만 그래도 견딜 수가 없어요.

"아휴, 저건 노래가 아니라 지독한 공해라구."

"매미들 때문에 스트레스가 이만저만이 아니야. 식욕이 떨어진다니까."

"식욕만 떨어져? 잠을 잘 수도 없잖아."

곤충들은 너도 나도 불평하면서도 매미를 말리지 못했어요. 목청이 워낙 커서 아무도 매미 근처에 다가가지 못했어요.

더욱이 매미들은 높은 나무 몸통에 붙어있는 탓에 쫓아낼 수도 없어요. 매미들은 아랑곳하지 않고 날이 더울수록 더 크게 합창을 했어요.

"정말 짜증 나. 매미들은 남 생각을 전혀 하지 않는다니까."

"우릴 무시하는 거지 뭐야."

"맞아, 자기네들은 우리처럼 지저분한 걸 먹지 않는다나 뭐라나."

"풀잎에 맺힌 이슬과 나무 속 물을 빨아 먹고 사는 게 무슨 자랑이라고."

"흥, 배가 고파 보라지 이슬과 나무 속 물만 빨아 먹고 살아지나."

"그뿐인 줄 알아 뾰쪽하게 뻗은 입이 옛날 선비님들의 갓끈과 같다면서 마치 자기네들도 선비인 줄 착각하지 뭐야."

"우리와 차원이 다르다 이거지?"

"잘났어! 정말."

"그런데 조금만 참아. 쟤네들은 저렇게 울어대다가 여름이 끝나면 죽어버리잖아."

"아니야, 요즘 매미들은 겨울까지 살아남은 애들도 있데."

"말도 안 돼."

"겨울에 벚꽃, 해바라기도 피는데 뭘, 제발 뉴스 좀 보라구."

"맞아, 이상 기온 때문에 우리들 생태계가 막 무너지는 세상이니까."

곤충들의 말 대로 매미는 이슬과 나무 속 물만 먹고 살면서 여름 내내 노래를 불렀어요. 개미와 베짱이도 매미의 울음 때문에 무척 힘들었지만 부지런히 일만 했어요.

여름이 가고 가을이 가고 어느덧 겨울이 왔어요. 숲속 마을에도 하얀 눈이 소복소복 내렸어요. 개미와 베짱이는 양식과 옷을 지을 베를 교환하면서 행복하게 겨울을 보내요. 따뜻한 옷을 입고 맛있는 식사를 하면서 둘이 모여 여름에 부르지 못한 노래를 부르기도 해요.

"겨울이 좋아, 하얀 눈이 내린 숲속은 아름다운 궁전, 우리는 아름다운 궁전의 행복한 주인. 룰루랄라 룰루랄라. 하얀 겨울이 너무너무 좋아."

개미와 베짱이의 노래가 겨울 숲속 마을로 울려 퍼졌어요. 다른 벌레들은 춥고 배가 고파 울음이 터져 나올 것만 같았어요. 누구보다도 큰 나무의 몸통에 붙어 있는 매미가 가장 추워 이를 악물고 벌벌 떨었어요. 곤충들 말대로 매미들은 예전처럼 여름에 죽지 않고 겨울까지 살아남아 있었어요.

"으으, 추워서 도저히 못 견디겠어."

"이러다 우리 얼어 죽을지도 몰라."

"차라리 여름에 죽어버린 게 더 나았는데."

"그게 우리 마음대로 되는 일이니."

"개미와 베짱이를 찾아가 먹을 것과 입을 것을 좀 달라고 하면 어떨까?"

"매미 체면이 있지. 우린 이슬과 나무속 물만 먹고 사는 고고한 선비급인데 어떻게 벌레와 풀을 먹고 사는 그런 애들에게 가서 사정한단 말이야."

"지금 체면 따지게 생겼냐구."

매미들은 고민 끝에 개미와 베짱이를 찾아가기로 했어요. 여름에 시원한 물놀이를 하면서 놀기만 하던 다른 곤충들도 개미와 베짱이네 집을 찾아 나섰어요. 눈이 펑펑 내리는 어느 날 아침이었어요.

"쾅, 쾅. 개미님! 베짱이님!"

목소리가 큰 매미가 개미와 베짱이네 집을 급히 두드리며 소리 쳤어요.

"매미님, 왜 그러세요?"

"개미님, 베짱이님. 우리에게 먹을 것과 입을 것을 좀 주시면 안 될까요. 내년에는 노래만 부르지 않고 부지런히 일을 해서 꼭 갚을게요."

"우리에게도 좀 주시면 안 될까요? 날마다 우리 마을 곤충들이 죽어가요."

"오늘도 사슴벌레 두 마리가 죽고 무당벌레 다섯 마리가 죽었어요."

"장수풍뎅이는 열 마리나 죽었어요. 그들을 묻어주고 오는 길이예요."

개미와 베짱이가 서로 쳐다보며 의논했어요.

"매미와 곤충들을 도와줘야 할 것 같아."

"그래, 당장 도와주자."

"그동안 숲속 친구들이 죽는 것도 모르고 우리만 배부르게 먹고 따뜻한 옷을 입고 산 게 미안해."

"맞아, 어서 서두르자."

개미와 베짱이는 서둘러 양식 창고를 열고 짜놓은 베를 꺼내 나누어 주었어요.

"자, 친구 여러분, 어서 양식과 베를 받아 가세요."

개미와 베짱이는 양식과 베를 받고 기뻐하는 숲속 친구들을 바라보며 그들보다 더 기뻐했어요.

며칠 후 숲속 마을 곤충들은 노래자랑 대회를 열었어요. 개미와 베짱이도 오랜만에 노래를 불렀어요. 그런데 개미는 목소리가 전혀 들리지 않고 베짱이는 스르륵 찍, 스르륵 찍, 하면서 베 짜는 소리를 냈어요. 모두 속으로 킥킥 웃었어요. 역시 목청 좋은 매미가 일등을 했어요.

그런데 매미가 일등을 사양했어요.

"우리 매미들은 목청이 크다고 엄청나게 뽐내며 잘난 척했는데, 미안해. 일등 상은 개미와 베짱이에게 주었으면 좋겠는데."

"그래, 그래, 개미와 베짱이에게는 일등보다 더 큰 상을 줬으면 좋겠어요."

모두 손뼉을 치며 좋아했어요.

숲속 마을을 축복해 주듯이 하얀 눈이 춤추듯 하늘하늘 내렸어요. 개미 덕분에 숲속 마을에서는 겨우내 밥 짓는 연기가 모락모락 피어올랐어요. 베짱이 덕분에 숲속 마을 친구들은 따뜻한 옷을 입고 눈 위에서 마구 뒹굴며 재미있게 살았어요.

1st

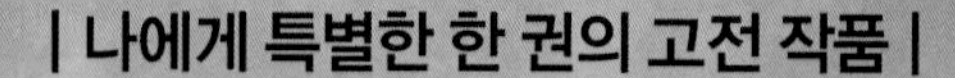

불설대보부모은중경 佛說大報父母恩重經

부모의 은혜가 한없이 크고 깊음을 설하며 그 은혜에 보답할 것을 가르친 경전

〈어머니의 열 가지 은혜 中 열째〉

부모님의 크신 은혜 깊고도 무거워라.
자식 생각하는 마음 잠시인들 쉬실까.
앉으나 서나 그 마음은 자식을 따라가고
멀리 있거나 가깝거나 자식과 함께 있네.

어머니는 나이가 백살이 되어도
여든 된 자식을 언제나 걱정하네.
그 깊은 사랑이여 언제나 끊어질까.
목숨이 다하셔야 비로소 떨어질까.

청개구리는 울보 너튜버

글. 이의희 그림. 권준력

|저자소개| 시인, 시낭송가, 독서심리상담사, 한국문인협회 회원
충북시인협회 이사, 제천문인협회 회원, 푸른달작은도서관 관장

|저서|
동화 〈타임머신이 아그작 아그작〉, 〈꺼꾸로 갈매기〉
전자책 〈비밀사탕이 아그작아그작〉, 〈사랑해 토토〉
공저시집 〈오고있을까, 그대〉, 〈혼의 빈터〉등 다수

|작품소개| 청개구리가 인기 너튜버가 되었대요.
뭐든지 거꾸로만 했던 청개구리.
비가 오면 엄마 무덤이 떠내려갈 걱정으로 울기만 했던 청개구리.
황소개구리가 툭 던진 말 때문이라고 하는데요.
그 이야기 속으로 떠나볼까요?

"엉엉 개굴개굴. 흑흑 개굴개굴. 비야 멈춰. 제발 그만!"

세월이 흘러 청년이 된 청개구리는 새벽부터 쏟아지는 비를 보면서 울다가 화를 내다가 반복하고 있었지. 이웃에 살면서 오랫동안 청개구리를 지켜보았던 황소개구리가 답답했던지 말을 걸었어.

"이봐, 청개구리. 자네가 운다고 비가 멈출 것 같은가. 그렇다고 화를 낸다고 멈출 것 같은가. 이제 그만하고 다른 방법을 찾아보게."

비만 오면 울어대는 통에 울보 대장이라는 별명까지 얻은 청개구리였지. 그래도 울음을 멈추지 않았어.

"개굴개굴 엉엉, 개굴개굴 꺼이꺼이 흐흑."

청개구리가 왜 이렇게 우는지 아는 사람은 다 알았어. 청개구리를 구하려다 뱀에게 물려 돌아가신 엄마의 무덤이 연못가에 있었거든. 엄마는 돌아가시면서 늘 거꾸로만 하던 청개구리에게 마지막 유언으로 무덤을 연못가에 써 달라고 부탁했지. 엄마는 청개구리가 늘 거꾸로 했으니 당연히 무덤을 산에 쓸 줄 알았던 거지. 하지만, 엄마의 마지막 부탁을 꼭 들어주고 싶었던 청개구리는 엄마의 속마음도 모르고 진짜로 연못가에 무덤을 만들었지 뭐야. 청개구리는 지금까지도 비가 오면 엄마의 무덤이 떠내려갈까 봐 걱정이 되어 울었던 거래.

"아저씨, 비가 멈추지 않아요. 어쩌면 좋지요?"

안 그래도 큰 눈이 눈물로 몇 배나 더 커 보였어. 그래서인지 더 불쌍해 보였지.

"엄마 무덤이 금방이라도 떠내려갈 것 같아요. 아저씨 방법이 있다면 알려주세요?"

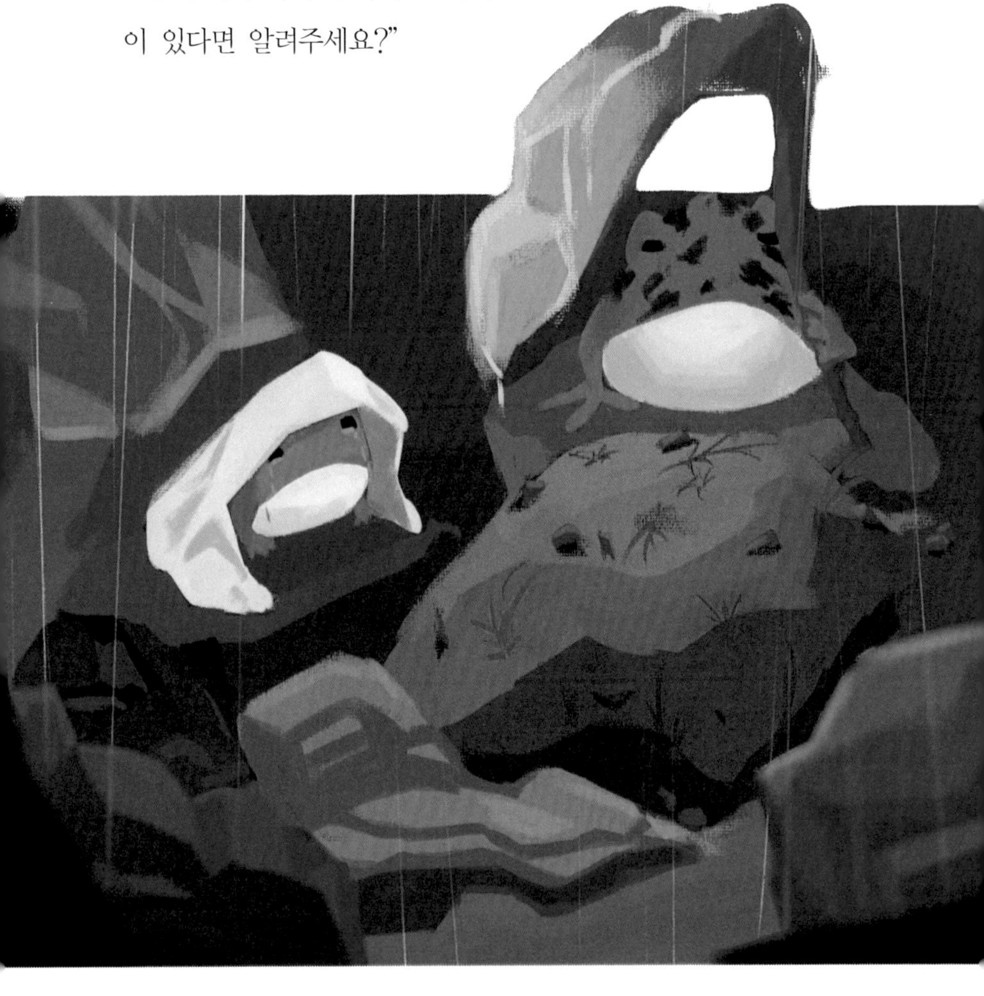

"있지. 있어."

"네, 있다고요. 진짜지요?"

"지금껏 속고만 살았나. 한 번 믿어보게."

황소개구리는 핸드폰을 열더니 너튜브 앱을 열어서 청개구리 앞에 쓱 내밀었어. 화면에는 황소개구리가 밀짚모자를 쓰고 해맑게 웃고 있었지. 그런데 자세히 보니 황소개구리 모자 위에 빨간색 '진짜 초보 농사꾼'이라는 글씨가 흔들거리고 있는 거야. 너튜브에서 인기 좀 있는 너튜버라고 황소개구리는 연신 자랑했어.

"아저씨, 너튜버셨어요?"

"그렇네. 벌써 3년째 너튜브를 하고 있다네. 처음 밭농사를 지으면서 너튜브로 농사 잘 짓는 법을 배우게 되었다네. 하나씩 둘씩 너튜브로 배우다 보니, 초보 농사꾼인 나의 농사법을 다른 사람들과 나누고 싶었지. 그래서 시작했는데 지금은 꽤 많은 구독자가 생겨서 인기를 좀 얻고 있지. 하하."

"와, 그러셨군요. 너무 부러워요."

"부러울 게 뭐 있나. 자네도 하면 되지."

"네, 제가 한다고요? 아무것도 모르는 제가 어떻게 할 수 있죠?"

"시작이 반이라고 하지 않나. 너튜브를 보다 보면 좋은 방법이 생각날 걸세."

청개구리는 며칠 동안 너튜브를 구경했어. 별별 이야기가 다 담겨 있어서 시간이 어떻게 흘렀는지도 모를 정도였지. 그때 멋진 집을 뽐내는 제비 너튜버를 만나게 되었어.

"튼튼한 집을 원하십니까? 지금이 기회입니다. 하나하나 알려 드릴 테니 '구독', '좋아요'를 눌러주세요."

제비의 빼어난 말에 영상을 몇 번이고 돌려보았지. 청개구리는 제비집은 따라 지을 수 있을 것 같았어.

"아저씨, 황소개구리 아저씨. 저 제비집을 따라 해 봐야겠어요.”

“제비집? 그렇지. 제비도 멋지고 튼튼한 집을 짓는다고 하더군. 그래 한번 잘해 보게.”

청개구리는 열심히 제비가 알려주는 대로 따라 했어. 진흙은 비가 왔던 터라 옆 논에서 잔뜩 가져올 수 있었지. 운이 좋게도 볏짚은 소먹이로 쓴다며 묶어 두었던 초대형 마시멜로 모양의 볏짚 곤포 사일리지로 해결했어.

“어렵지 않아요. 볏짚을 작게 잘라서 진흙과 버무려 주세요. 어렵지 않아요. 덩어리로 하나하나 만들어서 쌓으면 된답니다. 하나도 어렵지 않죠?”

제비의 말에 빠져든 청개구리는 가는 팔과 다리로 열심히 진흙을 뭉쳤어. 물론 볏짚도 넣어서 말이야.

“청개구리, 어째 잘 되어가는가?”

“네, 모양이 조금씩 잡히고 있어요. 이것 보세요.”

황소개구리 앞에는 삐뚤빼뚤하게 생기긴 했지만, 진흙담이 쌓여 있었지. 청개구리 무릎 정도였는데 딱 보기에도 불안해 보였지.

‘괜찮으려나? 저러다 부서지겠는데….’

“아저씨, 진흙 집짓기가 꽤 재밌어요. 개굴 개구르.”

땀과 진흙으로 범벅된 얼굴을 하고 좋아라 웃는 청개구리에게 차마 황소개구리는 재능 없다는 말은 할 수가 없었어. 황소개구리는 셀카봉을 꺼내 들었어.

"청개구리, 자네만 괜찮다면 말이지. 자네가 집 짓는 과정을 너튜브로 방송하고 싶은데 어떤가? 많은 구독자가 생기면 집을 짓는 데도 도움이 되지 않겠나."

"제가 너튜브 방송을요. 제가 하는 걸 누가 보겠어요?"

"아니, 그런 말은 말게. 아마 모르면 몰랐지. 자네가 집 짓는 것을 본다면 모두 자네의 팬이 될 걸세."

"네? 진짜요?"

"아, 그렇다니까. 내 말 믿고 한번 해 보겠나?"

"아저씨, 아저씨가 하는 너튜브 채널은 구독자는 3만에 조회수가 11만을 넘는다 하지 않았나요?"

"그랬지. 지금까지 열심히 했으니 잠깐 쉰다고 생각하고 자네에게만 집중해 볼 생각이야."

"그러시다면, 잘 부탁드리겠습니다."

그렇게 청개구리는 너튜브를 시작하게 되었어. 채널 이름은 '울보 건축가'라고 지었지 말이야. 출연은 청개구리, 촬영과 편집은 황소개구리가 맡았어. 제비가 전수해 준 집짓기 비법으로 만든 첫 건축물인 진흙담은 이렇게 방송을 타게 되었던 거야.

초보 건축가가 만든 진흙담은 방송에서 인기가 많았어. 어설프지만 진심으로 만드는 모습을 본 구독자들은 '좋아요'를 눌러주었지. 자주 댓글에 '열심이네', '응원합니다', '멋진 진흙담이에요' 라는 말과 '흙이 말랐네. 물 더 넣으세요.' 라는 관심에 말도 있었어. 황소개구리는 댓글을 읽지 말라고 했지만, 청개구리는 하나하나 읽고 답글도 달아 주었지.

'감사합니다. 처음이라 서툴지만 예쁘게 봐주세요. 더 열심히 만들어 보겠습니다.'

아주 공손한 청개구리의 답글에 청개구리 집짓기를 따라하는 사람들도 생겨났지. 청개구리가 지푸라기를 넣은 진흙을 둥글게 둥글게 만드는 장면은 캡처가 되어 여기저기 돌아다닐 정도였어. 왜 그랬냐고! 쇠똥구리가 똥을 둥글게 만드는 장면이랑 비슷했거든. 그래서 청개구리와 쇠똥구리의 사진이 하나가 되어 돌아다녔지. 청개구리는 몇 번 진흙담이 부서지는 실패를 하고 나서 그럴싸하게 진흙담을 쌓아 올릴 수 있게 되었어.

'이제 엄마 무덤에 진흙으로 멋진 담을 만들어야겠어. 그럼, 비가 와도 걱정이 없겠지.'

신나서 콧노래를 흥얼거리며 진흙을 둥글게 빚는 청개구리를 황소개구리는 열심히 찍었지.

"그렇게 신나는가?"

"그럼요. 이제 제 별명 울보 대장은 버릴 거예요."

"울보 대장을 버린다고?"

"네. 버릴 거예요. 그 별명 진짜 싫었거든요."

"그럼 자네 별명을 뭐라고 부르면 되겠나?"

"그야, 울 일 없고 웃을 일만 남았으니까 웃음 대장. 그래요. 웃음 대장이 어때요? 개굴개굴 푸하하."

청개구리는 황소개구리를 향해 시원하게 웃어주었어.

"음… 좋네. 그래 웃음 대장이라고 내 그렇게 불러줌세. 일단 성공 한번 시켜보게나."

아슬아슬하게 쌓아 올린 진흙담이 청개구리 엄마의 무덤을 빙 둘러쌌지. 보기에는 꽤 튼튼해 보였어. 뉴스에서 일기예보가 흘러나왔어. 밤늦게 비가 온다는 소식이었지. 청개구리는 이제 기다릴 일만 남았어. 튼튼한 진흙담이 있으니, 걱정은 없었지. 그날 밤, 비가 진짜 내렸어. 그래도 마음이 놓이지 않았던 청개구리는 엄마의 무덤을 지키고 있었지. 빗방울은 점점 굵어지고 날이 새도록 그치지 않았어.

"흑흑, 개 구울, 개굴. 개굴. 흑흑."

청개구리는 또 울기 시작했어. 울지 않겠다고 말했던 것은 어느새 사라져 버렸지. 왜 그랬을까? 맞아. 밤새 내린 비에 진흙담이 무너져 내렸던 거야. 진흙담은 알겠지만, 흙에다 물을 섞은 진흙 덩이로 만들었잖아. 너무 많은 비에는 견딜 수가 없었던 거지.

"이렇게 쉽게 무너져 내리다니. 이러면 안 되는 거잖아. 흑흑."

"성공할 줄 알았더니. 안 되었네. 비가 너무 많이 온 탓이지, 자네 잘못은 아니라네."

"전, 성공할 줄 알았어요. 그런데 너무 쉽게 무너졌어요. 흑흑 개굴개굴. 어쩌면 좋을까요?"

"다시 방법을 찾아보게. 아마 금방 찾을 수 있을 걸세."

황소개구리가 올린 너튜브에는 청개구리의 슬픔을 알고 위로하는 댓글들이 많이 달렸지. 청개구리는 댓글을 보면서 조금씩 힘이 나기 시작했어. 그러던 중에 이런 댓글이 올라왔지.

'비가 와도 끄떡없는 집을 지어보세요. 제가 알려 드리겠습니다.'

청개구리는 깜짝 놀랐지. 비에 끄떡없는 집이 있다니. 작지만 희망이 생겨나는 것 같았어. 그렇게만 된다면 걱정이 없을 것 같았어. 청개구리는 누가 댓글을 단 건지 궁금했지.

"황소개구리 아저씨, 누굴까요? 비가 와도 끄떡없는 집을 지을 수 있다고 하니까 궁금해서 못 견디겠어요."

"기다려 보게. 내가 알아보겠네."

"정말이지요. 아저씨."

"그렇다네. 슬퍼하지 말고 있어 보게나."

청개구리는 엄마의 무덤 주변을 깨끗이 정리하면서 노래를 불렀어. 엄마가 어릴 적 자장가로 불러주었던 노래였지.

잘 자라 우리 아가 앞뜰과 뒷동산에
새들도 아가 양도 다들 자는데
달님은 영창으로 은구슬 금구슬을
보내는 이 한밤 잘 자라 우리 아가

청개구리는 노래를 불렀더니 엄마가 더 보고 싶어졌지. 큰 눈에 구슬처럼 맺힌 눈물을 쓱쓱 닦으면서 노래를 몇 번 더 불렀어.

"이보게 청개구리. 찾았네. 찾았어!"

"네, 찾으셨어요? 누구예요?"

"아, 아주 가까운 곳에 있더군."

"그래요. 빨리 만났으면 좋겠어요. 비가 와도 끄떡없는 집…. 너무 궁금해요."

황소개구리를 따라나선 청개구리는 도대체 어떤 집일지 상상이 가지 않았어. 도착한 곳은 연못 가까운 곳에 자리한 풀이 가득한 곳이었지. 그곳은 말이야 바로 멧밭쥐가 사는 곳이었어. '멧밭쥐네 집' 이라는 멋진 문패가 있기도 해서 금방 찾을 수 있었지. 멧밭쥐는 찾아온 손님들을 반갑게 맞아 주었어.

"청개구리 씨가 열심히 만든 진흙담을 보았어요. 참, 멋지게 지었더군요."

"네, 진짜 열심히 지었습니다. 아무것도 모르는 초보였던 제가 이제 흙덩이 하나만큼은 잘 빚게 되었어요."

"그래 보였습니다. 안타깝게도 비에 무너지는 것을 보고 저도 따라서 마음이 아팠습니다."

"사실 지금도 얼떨떨하기만 해요. 기대가 컸었거든요. 멧밭쥐 씨가 비가 와도 끄떡없는 집을 지을 수 있다길래 한달음에 달려왔습니다. 어서 그 비법을 알려주세요."

"따라 하기 쉽지 않겠지만 제가 차근차근 알려 드리겠습니다."

멧밭쥐를 따라 청개구리는 바로 집짓기를 배우기로 했어. 멧밭쥐는 먼저 살고 있던 집을 소개해 주었지. 멧밭쥐 부부와 아이들이 사는 곳은 동글동글 귀여운 공 모양의 집이었어.

풀과 풀 사이에 만들어진 집은 꽤 튼튼해 보였지. 황소개구리는 역시나 청개구리를 따라다니면서 열심히 영상을 찍었어. 뭘 하려는지는 잘 알 거야. 너튜브에 실시간으로 청개구리가 집 짓는 것을 소개해 주고 있었어. 청개구리가 이번에는 멧밭쥐를 따라 집을 짓는 게 금방 소문이 났어. 열혈 구독자들은 아주 흥미로워했지. '응원합니다.' '이번엔 꼭! 성공하세요.' '청개구리 힘내요. 잘할 수 있어요.' 물론 응원 댓글도 많이 달렸어. 점점 '울보 건축가' 채널은 인기가 올라갔지.

"청개구리 자네, 굉장하네. 구독자들이 모두 자네에게 응원을 보내주고 있네. 힘내시게. 나도 응원하겠네."

황소개구리조차 청개구리를 응원하는 댓글에 힘이 났어. 제일보다 먼저 청개구리를 응원하고 항상 청개구리 옆을 지키면서 떠나지 않았지.

"자, 그럼 시작해 볼까요."

멧밭쥐는 몇 번 헛기침을 한 후 선생님처럼 목소리를 깔고 이야기를 시작했지.

"우리 집을 보아서 알겠지만, 저의 집은 풀을 엮어서 만들었습니다."

"풀만 엮어서 집을 만든다고요. 아까 보았을 때 꽤 튼튼해 보이긴 했지만, 멧밭쥐 씨의 집보다 저는 훨씬 크게 지어야 하는데…. 가능할까요?"

"열심히 잘 따라 한다면 가능하지 않을까요?"

"정말 그렇겠지요. 네, 아자! 개굴개굴. 해 보겠습니다."

"우선 한 가지 알아 두실 일이 있습니다. 집을 짓는다고 풀을 죽여서는 안 된다는 겁니다."

"풀을 죽이지 않고 어떻게 집을 지을 수 있나요? 그건 어려울 것 같은데요."

"아닙니다. 할 수 있습니다. 줄기를 상하지 않게 하면서 잎만 따면 됩니다."

“꽤 어려울 것 같네요. 집을 튼튼하게 지으려면 줄기를 뚝 잘라서 만드는 게 좋을 것 같은데…. 잎만 잘라서 사용한다니. 그래서 집이 튼튼할 수 있나요?”

“물론입니다. 잎만 잘 엮어서 만들어도 아주 튼튼합니다. 자 따라 해 보세요.”

멧밭쥐는 먼저 시범을 보였어. 풀줄기가 상하지 않게 하면서 잎을 하나씩 따서 모았지. 그러곤 열심히 엮었어. 엮는 게 옆에서 볼 땐 쉬워 보여서 금방이라도 따라 할 수 있을 것 같았지.

“이건 아래로, 이건 위로 이렇게 따라 해 보세요.”

“위로, 아래로, 위로, 아래로 이렇게요?”

“네, 잘하고 계시네요.”

그런데 정말 쉬울 것 같았던 풀잎 엮기는 하다가 보면 엉켜서 제대로 되지 않았어. 옆에서 지켜보던 황소개구리는 청개구리보다 곁눈질로 먼저 배우고는 옆에서 훈수를 두었어.

“자네, 어 어 거기가 아니네. 에 아니라니까. 옆으로 넣게. 그렇지 그렇게 말이야.”

“휴, 이것도 힘드네요. 벌써 며칠을 연습했는데 할 때마다 헤매게 되니, 아무래도 제 손이 똥손 같습니다.”

속상한 청개구리는 살짝 포기해 버릴까도 생각했지. 하지만 그럴 수가 없었어. '울보 건축가' 채널에는 매일 댓글이 넘쳤거든. '그래도 어제보다 잘하시네요.' '조금만 하면 성공할 것 같아요.' '엄마가 보고 계신다. 힘내라!!' 댓글은 청개구리를 위로해 주었지. '엄마가 보고 계신다'라는 댓글에서는 눈물이 나는 걸 억지로 참기도 했지.

멧밭쥐는 매일 열심히 가르쳤어. 하지만 멧밭쥐처럼 섬세하게 풀을 엮는다는 건 청개구리에겐 쉽지 않았지. 그래도 몇 날을 연습에 매달리니 멧밭쥐 집처럼 예쁜 공 모양은 아니더라도 얼추 비슷한 모양의 집이 완성되었어. 그런데 이 집은 말이야. 멧밭쥐의 집처럼 튼튼하지도 따뜻하지도 않았고 그저 모양만 비슷할 뿐이었어. 거기에 군데군데 뚫린 구멍으로는 바람도 비도 새어 들것만 같았지.

"멧밭쥐 씨, 제가 만든 집 어떤가요?"

"음… 뭐랄까. 이거 진실을 말씀드려야겠지요."

"그럼요. 솔직하게 말씀해 주세요."

"그렇다면, 제 말 듣고 너무 속상해하지는 마십시오."

"네, 물론이에요. 뭐라도 말해 주세요."

"청개구리 씨, 당신은 그 뭐랄까. 열정이 대단하신 분입니다. 끝까지 만들어 내셨으니, 그것만으로 칭찬해 드려야겠지요. 그런데 아무래도 당신은 섬세하게 엮는 것에는 재주가 좀 부족한 것 같습니다."

"그, 그렇지요. 제가 뭐든지 조금씩은 서툴답니다."

"아닙니다. 그래도 참 잘 해내셨습니다. 제가 더 많이 도와드렸어야 했는데…."

"멧밭쥐 씨 덕분에 좋은 경험도 하고 많이 배웠습니다. 풀을 엮어서 만든 집이 튼튼할 수 있다는 것에 그저 감탄할 뿐이에요."

청개구리는 멧밭쥐에게 몇 번이고 고맙다고 말하고, 지금 배운 것을 잊지 않겠노라. 다짐도 하였지. 멧밭쥐는 청개구리가 성공하지 못한 것에 마음이 아팠어. 그때 청개구리가 엄마의 무덤을 걱정하며 한탄하는 소리를 들었지.

"황소개구리 아저씨, 제가 이렇게 부족합니다. 그 풀하나 조차 제대로 엮지 못해서. 곧 있으면 또 비가 내릴 텐데 어떡하면 좋을까요?"

"그러게 말일세. 내 이번에는 자네가 성공할 거라 그래도 믿었는데, 풀 엮는 것이 자네에게 그리 어려운 줄은 몰랐네. 그만 힘들어하고 또 다른 방법이 있나 우리 같이 찾아보세."

멧밭쥐는 청개구리가 안타깝기도 하고 또 미안한 마음이 들기도 했지. 그때 번쩍하고 머리에 떠오르는 것이 있었어.

"청개구리 씨, 앞으로도 계속 집을 지을 생각입니까?"

"물론이지요. 당연히 또 도전해야지요."

"그렇다면 제가 아는 최고의 건축가를 소개해 드리겠습니다."

"정말인가요? 개굴개굴 개굴개굴 하하."

청개구리는 너무나 기뻤어. 생각하지도 않았던 일이 생긴 거지. 멧밭쥐보다 더 뛰어난 건축가가 있다니. 최고로 멋진 집을 지을 수 있다니. 그 기쁨에 조금 전 있었던 일은 어느새 사라져 버린 듯했어.

"잘 되었군. 잘 되었어. 하늘은 자네를 버리지 않는군."

"그렇지요. 이런 기쁜 일이 또 있겠어요. 지금 제 기분은 최고입니다."

청개구리는 황소개구리의 손을 잡고 껑충껑충 뛰었어. 너무나 기뻤거든. 너튜브에서는 청개구리가 집짓기에 실패했다는 영상이 막 나간 뒤라 구독자들이 실패를 위로하고 있었지. '내 손도 똥손이랍니다. 우리 집 비 새요.', '내가 못 하면 당신도 못해!', '실패는 성공의 어머니!' 위로가 되기도 하고 또 약간은 오기가 생기기도 했지. 왜 그랬냐면 '못해' 라는 소리는 정말 듣기 싫었거든.

"멧밭쥐 씨, 알려주세요. 그 최고의 건축가는 누군가요?"

"아, 말이지요. 이웃에 개울을 막아 연못을 만든 자가 있습니다. 그자의 건축 솜씨를 모두 최고라 하는데, 흐르는 개울에 댐을 쌓아 물을 막아버리더니 아주 크고 넓은 연못을 만들었다고 합니다."

"아니 그런 일이. 연못을 직접 만들었다는 거예요?"

"네, 얼마나 솜씨가 좋은지 태풍이 불어도 끄떡없다고 합니다."

너튜브에서도 난리가 났어. 구독자들끼리 편을 나누어 '이번에도 실패할 것이다. 아니다 이번에는 성공할 것이다.' 라고 떠들어댔지. 아직 그 최고의 건축가가 누구인지도 모르고 서로의 말이 옳다고 떠들어대었어. 청개구리는 너튜브의 구독자들에게 한마디 했지.

"기다려 주십시오. 조금만 기다려 주신다면 최고로 멋진 집을 짓겠습니다. 그리고 한가지 약속도 하겠습니다. 제가 만약 성공한다면 모두에게 노래를 불러 드리겠습니다."

황소개구리도 몹시 궁금했어. 최고의 건축가가 누구인지 말이야. 청개구리도 마찬가지였지. 빨리 듣고 싶어 멧밭쥐 앞에서 똥 마려운 강아지처럼 안절부절못하고 있었어.

"말씀해 주세요. 궁금해 못 참겠습니다."

“건축가의 이름은, 음 그러니까 그 건축가의 이름은 ‘비버’ 라고 합니다. 처음 들어보시지요?”

“비버, 비버, 비버라. 네, 처음 듣는 이름이네요.”

비버라는 이름을 몇 번이고 몇 번이고 되뇌어 보던 청개구리는 이번에는 왠지 좋은 일이 생길 것 같았어. 멧밭쥐에게 고개까지 숙이며 몇 번이고 고맙다는 인사도 건넸지. 황소개구리는 인터넷에 비버를 검색했어. ‘뚜둥’ 화면에는 나무를 입에 물고 물속을 유유히 헤엄치는 덩치 큰 비버의 모습이 있었지. 비버 앞에는 촘촘하게 박힌 나무들이 물 밖으로 나와 있는데 마치 기다린 섬이 떠 있는 것 같았어.

“오, 이 건축가가 비버란 말이지. 대단하군. 청개구리 이것 좀 보겠나.”

“네, 아저씨. 와~아. 이 이 이 거축가가 그 건축가라는 말씀인 거죠?”

비버의 모습에 청개구리는 입이 떡 하고 벌어졌어. 덩치도 덩치지만 입에 크고 단단한 나무를 물고 가는 것만 보아도 대단해 보였어. 청개구리는 벌어진 입을 다물지 못하고 무엇을 깨달은 것처럼 무릎을 ‘탁’ 하고 쳤지. 그러고는 노래를 부르기 시작했어. 아주 목청이 터지도록 말이지.

개굴 개굴 개구리 노래를 한다
아들 손자 며느리 다~모여서
밤새도록 하여도 듣는 이 없네
듣는 사람 없어도 날~이 밝도록
개굴 개굴 개구리 노래를 한다
개굴개굴 개~구리 목청도 좋다

그때 이후로 쭈–욱 지금까지, 청개구리는 너튜브에서 '울보 건축가' 채널을 운영하고 있대. 인기 채널이라 '구독', '좋아요', '댓글', '알림설정' 은 기본이라지. 그런데 그때 청개구리는 노래를 불렀을까? 안 불렀을까?

울보 건축가

@crybaby_frog / 구독자 5.6천명 / 동영상 120개

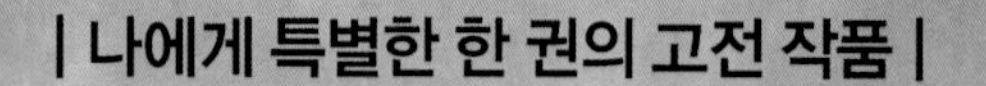

구운몽 - 김만중 -

《구운몽》은 조선 숙종때 문인이었던 김만중이 1687년 선천 유배 시절 자신을 걱정할 어머니 윤씨 부인을 위하여 지었다고 전해지는 한글소설이다.

"너의 가고자 하는 곳이 너의 갈 곳이라"

거북이랑 토끼랑

글 장지연 그림 강민규

|저자소개| 시인, 작가, 유튜브채널(은재/시의 맛 tv)
대한문인협회, 인사동시인들, 아태문학총예술인연합회 회원
한국인터넷문학상, 네팔시화전 UN NGO 문학대상
윤동주 별 문학상 수상 외 다수
한국동요사랑회, 동요사랑연구회 제 26회 동요사랑페스티벌 [꽃씨가 되어] 음반에 동요 작시(버들강아지, 쉬는 시간).

|저서|
개인 시집 〈새벽 두 시〉, 동인지 〈인사동 시인들〉 외
동화 공저 〈방구뽕 삼총사〉, 동화 〈인공지능 AI, 나나〉

|작품소개| 1등만이 최고가 아니라는 것, 진정한 행복이 무엇인지 함께 생각해보고 싶었어요.
개인의 재능은 각기 다릅니다. 약점이 장점이 되기도 하지요. 재능은 자랑하는 것이 아니라 올바로 쓰일 때 더욱 빛납니다. 그리고 함께 합쳐지면 엄청난 효과가 납니다. 남의 능력을 부러워하지 말고 나의 능력을 제대로 쓰는 것이 중요하다는 것에 대해 함께 생각해 보고 싶었어요.

"아 심심하다. 뭐 재미있는 일 없을까?"

평화롭고 향기로워 아무것도 부족한 것이 없을 것 같은 깊은 산속에 산신령이 살고 있었어요.

꽁꽁 얼었던 눈과 개울의 얼음이 녹고 난 후 숲속은 온통 초록 세상이었어요.

꽃들은 실눈을 뜨고 구경하다 활짝 피어서 벌과 나비를 불렀어요.

땅속에서 지내던 뱀, 굴속에서 지내던 토끼, 동굴에서 지내던 곰과 너구리들도 기지개를 켜고 나왔어요.

웅성웅성….

긴 겨울 동안 못 나눈 이야기를 하느라 숲은 요란했어요.

남쪽으로 갔던 철새들도 돌아왔거든요.

찌르르 찌르찌르, 푸다닥 푸다닥, 쉬익 쉭쉭, 깍 깍깍, 짹~짹짹짹….

"이렇게 날씨도 좋고 먹을 것도 풍요로우니 숲속 운동회나 열어야겠군. 이보게 호랑이 대신! 동물들에게 숲속 운동회 소식을 알려 주시게."

"네, 신령님. 동물들이 참 좋아하겠습니다."

산신령은 숲속의 왕 호랑이에게 부탁했고, 호랑이는 지시에 따랐어요.

"어흥! 어~흥! 어흥어흥 어어어응!"

호랑이는 큰 소리로 이 소식을 알렸고, 소식을 들은 동물들도 멀리 더 멀리 소식을 전했어요.

"모월 모일 모시에 숲속 운동회가 열린대."

소식을 들은 동물들은 신이 났어요.

토끼풀이 무성한 얕은 숲에 사는 토끼도, 그 아래 개울과 바닷물이 만나는 습한 숲에 사는 거북도 이 소식을 들었어요.

동물들이 하나둘 모여들기 시작했어요.

"어떤 종목으로 운동회를 해 볼까? 달리기나 힘겨루기를 하면 힘세고 빠른 동물들만 상금을 탈 것이고…. 또 지나친 경쟁심에 다투다 보면 사이가 나빠지겠지? 어디 생각을 좀 해 보자. 동물들 모두 평화롭고 살기 좋은 숲으로 만들면서도 공평한 시합이라…. 옳거니! 이렇게 하는 게 좋겠군!"

산신령님이 무릎을 탁! 치며, 고개를 끄덕이는 것으로 보아 좋은 생각이 떠오른 것 같았어요.

현명한 산신령은 평소에 친하지 않거나 사이가 좋지 않은 동물들을 한 팀으로 엮어 시합하기로 마음먹었어요.

누가 누가 사이가 나쁜지 다 알고 있는 산신령이었거든요.

호랑이와 사자, 개와 닭, 쥐와 고양이, 꿩과 뱀, 늑대와 양, 토끼와 거북처럼 앙숙인 친구들을 한 팀으로 묶어 주어진 목표를 달성하는 것이었어요.

각각의 팀마다 다른 목표가 주어졌어요.

누가 먼저가 아니라 미션을 성공하고 다시 숲으로 돌아오면 누구든 다 이기는 것이었어요.

"이게 뭐야? 저 꼴도 보기 싫은 녀석하고 한 팀이라고?"

"산신령님, 너무하세요."

처음엔 서로 앙숙인 동물들의 불만이 컸어요.

"서로를 다치게 하거나 위험에 빠뜨리면 큰 벌을 내릴 것이고, 지혜를 모아 목표 지점을 무사히 돌아와 성공하면, 그 팀에게는 큰 상을 내리겠다."

불평하던 동물들이 산신령님의 벌을 받게 될까 봐 어쩔 수 없이 한 팀이 되어 대회에 참가했어요.

토끼와 거북이도 마찬가지였어요.

'저렇게 느린 거북이랑 한 팀이라고? 으으으으! 망했군.'

'날 깔보고 놀리고 잘난 체만 하는 저 재수 없는 토끼 녀석이 내 팀이라니! 하지만 어쩌겠어. 한 팀이 됐으니….'

"잘해 보자. 토끼야."

"너만 잘하면 돼, 이 숏다리 느림보야!"

우쭐대며 토끼가 말했어요.

"토끼와 거북이는 건너편에 있는 바위산을 올라갔다가 바다 한가운데 있는 섬을 한 바퀴 돌고 오면 되느니라. 만약 성공하면 평생 먹을 걱정 없는 가장 풍요로운 초원을 받게 될 것이다. 또한, 가장 지혜로운 동물들에게 주는 박사 대우를 받게 될 것이다. 자! 이제 출발하거라. 행운을 빈다. 허허허허."

이렇게 해서 토끼와 거북은 썩 내키지 않은 표정을 지으며 출발했어요.

먼저 토끼가 건너편 산으로 쌩하니 달려 가버렸어요.

하지만 거북은 엉금엉금 세월아 네월아 하며 기어갔지요.

"야! 거북아! 너 때문에 우리 실패하겠어. 빨리 좀 뛰어. 어이구, 저 느림보. 쯧쯧쯧."

토끼는 혀를 차며 말했어요.

투덜투덜 토끼와 의기소침 거북은 한나절이 지나서야 바위산 입구에 도달했어요.

"아무래도 너랑은 저 산을 오를 수 없겠다. 어휴, 이건 불가능한 도전이야."

풀밭에 누워 한숨만 쉬던 토끼는 산신령님의 호통 소리가 들린듯하여 슬슬 몸을 일으켰어요.

"내가 널 끌고 가든지 업고 가든지 해야겠어. 너무 너무너무 싫지만…."

"미안해, 토끼야. 하지만 네가 저 칡넝쿨로 나를 좀 끌어주면 어떨까?"

토끼는 발을 쿵쿵 내리치며 투덜댔어요.

"이건 나한테만 불공평한 일이야. 산신령님도 너무 하시지…."

하지만 거북을 높은 산에 두고 갔다간 산신령님께 벌을 받을 테니 하는 수 없이 거북에게 넝쿨을 건네주고 땀을 뻘뻘 흘리며 끌고 가기로 했어요.

어찌어찌, 죽을 둥 살 둥, 기를 쓰고 산꼭대기에 도착했어요.

거북은 토끼가 이기적이고 놀리기만 하는 짓궂은 동물이라고 생각했는데, 힘들게 거북을 끌어주는 모습에 감동했어요.

정상에 올라보니 난생처음 보는 멋진 풍경이 펼쳐져 있었어요.

짙고 푸른 나무들, 바위산 아래 둥둥 떠다니는 구름, 저 멀리에는 초록빛 바다, 잔잔한 바다 가운데에는 꼭 거북 등처럼 엎드려 있는 섬도 있었어요.

"우와! 세상에! 정말 아름답다."

힘든 것도 잊고 둘은 서로를 바라보며 웃었어요.

멋진 풍경에 속상함도 미안함도 그 순간에는 잠시 잊을 수 있었어요.

"앗! 따가워. 날카로운 바위를 올랐더니 발바닥이 너무 쓰리잖아."

내려갈 생각을 하니, 토끼는 발이 아프기도 하고 화도 나서 기분이 좋지 않았어요.

"걱정하지 마, 토끼야. 내려갈 때는 내 등에 타. 내리막길은 자신 있어. 나만 믿어."

올라올 때 신세를 져 미안했던 거북이 자기 등을 토끼에게 내밀었어요.

내키지 않았지만, 너무 지친 토끼는 거북의 등에 올라탔어요.

"자, 출발한다. 균형 잘 잡아. 떨어지지 않게."

거북은 짧은 다리로 엉금엉금, 슬금슬금, 쓱쓱쓱쓱, 잘도 내려갔어요.

거북이 이렇게 빠르다니, 토끼는 깜짝 놀랐어요.

중간만큼 내려왔을 때였어요. 커다란 독수리가 토끼를 잡아먹으려고 세차게 덤벼들었어요.

깜짝 놀란 토끼가 거북의 등에서 떨어졌어요.

‘걸음아, 토끼 살려!’

토끼는 죽을 힘을 다해 달렸지만 독수리가 자꾸만 덤벼들었어요.

“엄마야! 살려줘! 토끼 살려!”

“토끼야, 엎드려!”

그때 거북이 데굴데굴 굴러가서 토끼를 가슴속에 숨겨주었어요.

세차게 덤비던 날카로운 독수리 발톱이 딱딱한 거북 등껍질에 부딪혀 그만 뚝 하고 부러졌어요.

“으억! 아이고 아파라. 아야 아야.”

독수리는 놀라고 아파서 바닥에 떨어졌다가 울먹거리며 날아갔어요.

"넌 내 생명의 은인이야. 정말 고마워! 거북아."

토끼는 거북이 정말 고마웠어요.

"나는 앞다리가 짧아서 오르막길을 뛰기가 훨씬 쉽고 빨라. 그러니 앞으로도 오르막길에서는 내가 널 끌어 줄게."

"그럼 난 데굴데굴 굴러도 안 다치니까. 내리막길이랑 물을 건널 때는 도움이 될 수 있을 거야. 그땐 내가 널 태워 줄게."

서로 불편했던 마음도, 무시했던 마음도 언제 그랬냐는 듯이 사라졌어요.

평원에 다다르자 이제는 기꺼이 토끼가 거북을 끌고 달렸어요.

"싱그러운 꽃냄새랑 풀냄새 너무 좋다."

"힘들지? 토끼야. 너 정말 빠르다. 너무너무 멋져. 야호!"

토끼는 몇 년 전 거북이와 겨루기를 해서 진 기억이 떠올랐어요.

순전히 잠들어서 졌을 뿐이라고 거북을 인정하지 않았는데 이제는 진 이유를 알 것 같았어요.

신나게 즐기며 달려서 드디어 바닷가에 도착했어요.

거북이 먼저 풍덩 바다로 뛰어들어 피곤하고 지친 몸을 풀며 여유를 부렸어요.

"토끼야, 정말 시원해. 너도 들어와."

"싫어, 아니 못해. 난 물이 무섭단 말이야. 난 수영할 줄 몰라. 어쩌지?"

"그래? 그럼 내가 널 태워줄게. 넌 용기 내서 눈 딱 감고 뛰어내리기만 해."

토끼는 주저주저하다가 눈을 질끈 감고 바다로 뛰어들었어요. 이젠 거북을 완전히 믿게 되었거든요.

'어푸어푸! 우웩!'

물이 코로 들어갔는지. 물은 엄청 짰어요.

'토끼 죽네! 토끼 살려!'

허우적대며 이렇게 죽는구나 싶을 때 토끼의 몸이 쑤욱 물 위로 올라왔어요. 거북이 토끼를 태우고 떠오른 것이었어요.

"괜찮아. 이제 됐어. 넌 참 용감했어."

거북은 우쭐대는 대신 토끼의 용기를 칭찬했어요.

토끼는 거북의 등에 타고 바다를 건넜어요. 태어나서 처음으로 와 본 바다라서 울렁울렁 멀미가 났어요. 하지만 곧 적응했는지 바닷바람이 참 상쾌했어요. 돌고래들이 그들 옆을 지나가면서 멋지게 뛰어올랐어요.

그때 튀는 물방울에 깜짝 놀라 떨어질 뻔도 했지만, 무사히 섬에 도착했어요.

"굉장한 모험이었어. 거북이 너 바다에서는 천하무적이구나. 정말 대단해."

토끼는 엄지를 위로 척 올리며 진심으로 거북을 바라보았어요.

이제는 자연스럽게 올라갈 땐 토끼가 끌고, 내려올 때는 거북이 태워 섬도 무사히 다 돌았어요.

"우리가 해냈어."

"그래, 우리 둘이서 함께 해낸 거야."

토끼와 거북은 땀범벅이 된 서로를 바라보며 활짝 웃었어요.

기세등등한 그들은 노래를 부르며 숲으로 돌아오는 길이었어요.

다시 바다만 건너가면 성공하게 된다는 기쁨도 잠시였어요.

바닷가에 어부가 쳐 놓은 그물에 거북이 그만 감기고 말았거든요.

"어이쿠! 발을 움직일 수 없어. 어쩌지? 토끼야, 나 좀 도와줘."

멀리서 배 한 척이 다가오고 있었어요.

"어쩌지? 어떡하지?"

토끼는 온 힘을 다해 거북을 바위틈으로 끌어 올렸어요. 돌멩이로 그물을 매단 줄을 내리치고 또 내려쳐 마침내 그물을 끊었어요. 그런 다음 갯바위에 붙어 나풀대는 미역과 파래를 닥치는 대로 모았어요. 그것들로 거북을 덮어주고는 재빨리 근처 수풀에 몸을 숨겼어요. 콩닥콩닥 어찌나 가슴이 뛰던지. 거북을 걱정하며 한눈팔지 않으려고 얼마나 쳐다보았는지 두 눈이 빨개졌어요.

"이런, 그물이 끊어졌잖아. 재수 없는 날이군. 오늘은 물고기 한 마리도 못 잡겠네. 그물을 고쳐서 다시 와야겠어."

다행히 어부는 눈치를 채지 못하고 투덜대다 배를 타고 돌아갔어요.

거북도 토끼도 어부한테 잡혀갔다면 꼼짝없이 죽었겠지요?

배가 멀리 떠나자 토끼는 거북에게 다가가서 앞니로 그물을 갈고 또 갈아서 목과 다리에 감긴 줄을 끊기 시작했었어요.

"토끼야, 바위틈에 가서 내 친구 천둥게들을 불러 줘. 그들은 날카로운 집게발을 가지고 있어서 나를 도와줄 거야. 예전에 내가 천둥게를 도와준 적이 있거든."

토끼는 두 집게발을 벌뚝 들고 있는 게들을 처음 보아서 신기하고 무서웠어요. 하지만 거북을 구하기 위해서 용기를 내어 다가가 거북이를 구해달라고 부탁했어요.

거북이 그물에 걸렸다는 이야기를 들은 게들이 몰려와서 그물을 끊기 시작했어요. 토끼도 얼마나 열심히 그물을 이빨로 갈았던지 나중엔 입술이 퉁퉁 붓고 감각이 없어졌어요.

마침내 거북이 그물에서 풀려났어요. 그들은 서로 부둥켜안고 눈물 콧물 범벅이 되어 울었어요.

"고마워, 천둥게들아! 이 은혜 절대로 잊지 않을게."

게들은 다행이라고, 조심하라고 말하고는 사사사삭 움직여 바위틈으로 들어갔어요.

"토끼야, 네가 내 목숨을 구해주었어. 고마워! 정말, 정말, 정말 고마워!"

힘이 다 빠진 둘은 모래에 몸을 누이고 반짝반짝 반짝이는 별을 보며 웃었어요. 출렁출렁 파도 소리를 들으며 엉엉 울다가 하하하 웃다가 스르르 잠이 들었어요. 토끼가 '드르렁' 하면 거북도 '드렁드렁' 코를 골면서요.

아침 햇살이 파도에 부서져 다시 온 세상을 밝힐 무렵이 되어서야 그들은 부스스 눈을 떴어요.

"자, 다시 출발해 볼까?"

"좋아. 가자. 우리의 숲으로!"

토끼와 거북은 이미 지쳤고 여기저기 상처투성이였지만, 갈 때처럼 서로를 도우며 바다를 무사히 건너 숲으로 돌아왔어요.

산신령님은 흐뭇하게 웃으며 그들을 맞아주었어요.

"잘 해냈구나! 참으로 장하고 기특하다."

실패하고 먼저 돌아와 있던 동물들도 먼저 성공한 동물들도 모두 부러워하면서 축하해 주었어요. 서로 앙숙이었던 동물 친구들이 서로 어깨동무를 하고 있었어요.

"성공했으니 약속대로 큰 상을 주마."

토끼는 양지바른 들에 커다란 느티나무와 작은 연못이 있는 숲을 상으로 받았어요.

거북은 폭포수가 흘러 부드러운 계곡을 이루다가 바다로 흘러가는 곳부터 따뜻하고 부드러운 바람이 부는 모래밭이 펼쳐진 곳까지를 상으로 받았어요.

산신령님은 엉금엉금 거북을 '지혜박사', 깡충깡충 토끼를 '재치박사'라 불러 주었고, 자랑스러운 숲속의 동물이라고 칭찬해 주었어요.

그때부터 토끼는 작아도 재치의 대명사로, 거북이는 느려도 지혜의 대명사로 불렸어요.

엉금엉금 느리고 깡충깡충 빠르지만, 친구가 되는 데는 아무런 문제가 되지 않았어요.

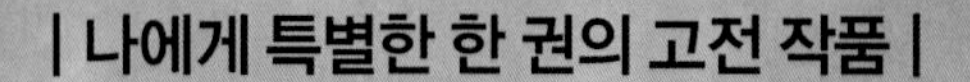

논어 - 공자 -

논어란 공자와 그의 제자들이 세상 사는 이치나 교육, 문화, 정치 등에 관해 논의한 이야기들을 모은 책이다.

공자께서 말씀하셨다.
"군자는 자신의 무능함을 근심하지, 남이 자기를 알아주지 않음을 근심하지 않는다."

똥벼락보다 무서운 물벼락

글. 차은주 그림. 강민규

|저자소개| 그림책으로 아이들과 마음을 나누는 동화구연가입니다. 〈북토킹〉학원을 운영하며 시 낭송 발표회, 동화구연 대회, 독서 토론 대회, 보드게임 특강 등 다양한 프로젝트를 진행하고 있으며 아이들과 함께 읽을 수 있는 따뜻한 동화작가가 되고자 글쓰기에 도전하고 있습니다.

| 저서 |
공저 〈작은 이야기로 삶의 지혜를 얻다〉
동화 공저 〈 다연이의 칸타빌레 〉〈 꺼꾸로 갈매기 〉

|작품소개| 김부자는 똥벼락을 맞고도 정신을 차리기는커녕 더욱 욕심을 부리기만 합니다. 집에 쌓인 똥도 아까워 사람들에게 돈을 받는 김부자의 결말은 어떻게 될까요? 김부자에게 해주고 싶은 말과 욕심에 대한 나의 생각을 이야기 나눠보면 좋겠습니다.

욕심을 부리다 똥벼락을 맞은 김부자는 젖 먹던 힘까지 짜내어 겨우 도망쳤지.

"아이고 냄새야! 우웩~ 우웩~ 퉤퉤."

똥 범벅이 된 몸을 질질 끌고 산속으로 숨었어. 혹시 잡히기라도 하면 또 어떤 벼락이 떨어질지 모르니 말이야. 잘못을 알긴 한 건지. 산속에 밤이 찾아오자 먹잇감을 노리는 빨간 불들이 하나둘 켜졌어.

"아우~"

무시무시한 짐승들의 울부짖음에 온몸이 달달 떨렸지. 그런데 더덕더덕 붙은 똥 구린내 덕분인지 밤새 개미 새끼 한 마리도 얼씬거리지 않았어. 김부자는 다행이다 싶었지. 하지만 똥독이 올랐는지 온몸이 간지럽고 따가웠어.

아침 동이 트자 사람인지 짐승인지 알아보기가 힘들 정도였지. 수백 마리 벌에 쏘인 듯 온 몸이 퉁퉁 붓고 팔 다리에서 피가 철철 흐르지 뭐야.

김부자는 연못을 보자 옷을 훌러덩 벗어던지고 뛰어들었어. 살이 벗겨져라 박박 문질렀지.

"앗, 따가워! 앗, 간지러워!"

똥은 겨우 씻어냈지만 시뻘게진 몸이 갓 태어난 생쥐 같았지. 이 꼴로 어딜 가겠어. 동네 사람들 눈에 띄어 좋을 게 없잖아. 마지못해 얼마 전 죽은 늙은 머슴의 집을 찾아갔지. 다 쓰러져가는 초가집으로 수염을 배배 꼬며 들어갔어. 벌레들이 화들짝 놀라 짚더미 사이로 숨었지.

김부자는 도망치는 벌레를 피해 벽에 바짝 붙어 소리를 질렀어.

"으악~ 박서방, 이런 괘씸한 놈 같으니라고. 누구 덕에 잘 먹고 잘 사는지도 모르고 나를 이 꼴로 만들었겠다. 어디 두고 보자."

마을 한가운데 똥산이 생기자 꼬릿꼬릿 콤콤한 똥 냄새가 온 사방으로 퍼져 나갔어. 윗마을, 아랫마을에도 금세 소문이 퍼져 어른 아이 할 것 없이 지게며 하다못해 밥 그릇까지 들고와 거름으로 쓸 똥을 퍼갔지.

김부자가 먹을 것을 구하러 마을로 내려왔다가 그 모습을 보게 된 거야.

"이것들 봐라. 남의 똥을 함부로 가져다 쓰다니 이런 도둑놈 같으니라고."

김부자는 머리를 굴리기 시작했어. 그러고는 붓과 종이를 챙겨 마을에서 가장 높은 나무로 올라가 무언가를 적기 시작했지.

"옳지, 분이네 한 번, 석이네, 하나, 둘, 셋? 땅도 쥐꼬리만큼 있는 것들이 무슨 똥을 저렇게 많이 퍼간담? 아니 저건 박서방 아냐? 저런 썩을 놈. 감히 지가 그러고도 내 똥을 가져가?"

김부자는 화가 머리끝까지 나서 씩씩거렸어.

"분이네 한 번 가져갔으니 두 냥, 석이네 세 번이니까 여섯 냥 요거 생각보다 괜찮은데."

김부자는 신이 나서 노래를 흥얼거렸어.

"얼씨구, 절씨구 잘한다~ 푹푹 퍼가라."

세상에, 돈에 눈이 먼 김부자를 누가 말리겠어.

밤낮으로 붓끝에 침을 발라가며 쓰고 또 쓰고 며칠이 흘렀지. 김부자 침에 종이가 젖었다 말랐다 제법 두꺼워졌어. 이 사실을 알 리 없는 마을 사람들은 한 해 농사가 잘되길 바라는 간절한 마음으로 똥을 나르고 또 날랐지. 김부자는 매일 밤 몸을 벅벅 긁어대면서도 돈 받을 생각에 입술을 실룩거렸지.

"꼬끼오~"

새벽닭이 울자 아직 날이 밝지도 않았는데 김부자는 제일 먼저 박서방을 찾아갔어.

"박서방 있는가?"

"누구시오?"

"날 세. 그새 내 목소리를 잊었는가?"

"예? 김부자 어르신?"

박서방은 귀신이라도 본 듯이 놀란 토끼 눈을 하고 벗은 발로 뛰어 나왔지. 혼쭐이 나서 달아난 김부자가 나타나다니 말이야.

"다름이 아니라 자네 며칠 동안 내 집에서 똥을 퍼 가지 않았나?"

"아, 그게 똥이 워낙 많은 데다가 김부자 영감님도 안 계시고 해서…."

"뭣이라? 내가 이렇게 말짱하게 살아 있지 않나? 그러니 열 냥을 내놓음세."

"예? 다짜고짜 열 냥이라니요?"

"자네가 사흘 전 두 번 이틀 전 두 번 어제 한번 합이 다섯 번을 퍼가지 않았나?"

"네? 그걸 어떻게?"

"다 아는 수가 있지. 자네도 가져갔다고 자네 입으로 말했으니 어서 내놓게. 내 귀하디귀한 똥값 말일세."

박서방은 꼭두새벽부터 나타나 똥값을 내놓으라는 김부자의 말에 어이가 없었지.

"김부자 어르신, 어떻게 저 똥이 김부자 어르신 똥입니까? 따지고 보면 동네 사람들 똥이지요."

"그런가? 그렇다면 그 똥이 지금 어디에 있는가?"

"그거야, 김부자 어르신 댁에 있지요."

"옳거니! 내 집에 있으니 내 똥이지. 안 그런가?"

박서방은 김부자 억지에 열 냥을 내놓고 말았어. 금반지를 찾아주려다 흠씬 두들겨 맞았던 일이 떠올랐거든. 갑자기 온몸이 욱신거리는 것 같았어.

그날 김부자는 밤이 늦도록 윗마을, 아랫마을까지 찾아가 돈을 뺏다시피 받아냈지.

더는 아무도 김부자네 똥을 퍼가지 않았어.

하루 이틀 사흘 무더위 속에서 똥이 푹푹 썩기 시작했지. 그러자 세상에나 파리란 파리는 모두 김부자네로 몰려들어 그 수가 하루가 다르게 어마어마하게 불어났어.

동네 부인들은 빨래를 두드리다 파리 얘기만 나오면 더 힘껏 두드려 댔지.

“기저귀를 빨아 널어두면 파리가 얼마나 똥을 싸대는지 누구 기저귀인지 모르겠다니깐요.”

“밥을 먹을 수가 없어요. 음식 냄새만 나면 파리가 파리떼처럼 달려드니 편히 밥 한 수저 먹어본 게 언제인지 나 원 참!”

그때 눈이 어두운 진천댁이 말했어.

“아니 그럼 까만 점들이 전부 파리였단 말인가유? 이를 어째유? 지는 것도 모르고 밥할 때도 국을 끓일 때도 내 눈병이 깊어진 줄 알고 그냥 먹었는디 이를 어쩐다유.”

부인들의 불만은 한두 가지가 아니었지.

동네 사람들은 참다못해 삼삼오오 짝을 지어 김부자를 찾아갔어.

“김부자 어른, 어르신 똥 때문에 마을에 파리가 득실거려 살 수가 없습니다요. 똥을 어떻게든 해결해 주십시오.”

“똥이야 내 것이라 쳐도 그 똥이 좋아서 꼬이는 파리를 나

더러 어쩌라는 건가?"

김부자는 내 알 바 아니라는 식으로 사람들을 쫓아냈지. 그 뒤로도 몇 번이나 찾아갔지만 소용이 없었어.

부인들은 모이기만 하면 파리 얘기에 더 열을 올렸지.

나이가 가장 어린 연희댁이 말했어.

"파리도 싫어하는 게 있을까요? 그걸 안다면 없애는 방도를 찾을 수 있을 텐데요."

"한두 마리도 아니고 저렇게 많은데 무슨 수가 있겠어?"

모두가 한숨을 쉴 때 홍곡댁 할머니는 더는 참을 수가 없다는 듯 두 눈에 힘을 주며 말했지.

"김부자 심보가 아주 고약하구먼. 고뿔도 남 안 준다더니 그 말이 딱 맞아. 그럼 아까운 파리도 고놈한테 몽땅 돌려줘야겠군."

부인들은 홍곡댁 할머니의 말에 두 귀를 쫑긋 세웠지.

"무슨 좋은 방도라도 있을까요?"

두드리던 빨래를 냅다 던져두고 홍곡댁 할머니 곁으로 모여들었어.

"파리가 좋아하는 게 뭔 줄 아나? 바로 고소한 냄새지."

"그래서요?"

"내가 이래 봬도 참기름만 수십 년을 짰어. 참기름을 짜면 동네방네 파리란 파리가 다 몰려들거든. 그러니 그걸 이용해서 받은 대로 갚아줘야지."

부인들은 한참을 속닥속닥 쑥덕거리더니 엉덩이를 들썩이며 손뼉을 쳤어.

그날 해가 지자 부인들은 참기름을 들고 동네 빨래터에 모였어. 이 귀한 참기름을 쓰자니 아깝긴 했지만 그렇다고 파리떼를 이대로 두고 볼 순 없으니 말이야. 부인들은 한명 한명 김부자네 집을 지나는 척하다 똥 무더기 위로 참기름을 콸콸 부었어. 참기름을 들이붓자 온 동네에 고소한 냄새가 진동했지.

"킁킁, 어디서 이렇게 고소한 냄새가 나는 거지? 아이고 맛나겠다."

김부자는 참기름 냄새에 코를 벌름거렸어. 똥 벼락을 맞은 뒤로는 제대로 된 음식을 못 먹어 냄새에 무척 예민해졌거든.

"냄새라도 실컷 맡아야겠다."

김부자는 코를 앞세워 냄새를 따라갔어.

그런데 파리 떼들이 어디론가 쏜살같이 날아가는 거야. 김부자는 눈을 부라리며 이 요상한 광경이 궁금해 파리떼를 따라 달렸지. 파리떼가 멈춘 곳은 다름 아닌 김부자네 집이었어.

시커먼 먹구름 같은 파리떼가 겹겹이 쌓여 똥산을 뒤덮고 있었지.

"아이고, 이게 도대체 무슨 일이야? 참기름을 누가 내 똥에 쏟아부은 거야? 잡히기만 해봐라. 몽둥이로 찜질을 해줄 테니 말이야."

김부자는 흥분하여 방방 뛰다 그만 참기름을 밟고 미끄러지고 말았지. 그러자 파리떼들이 김부자에게 득달같이 달려들었어.

"으악, 사람 살려. 저리 가! 저리 가!"

그날 밤새 김부자의 비명소리가 울렸다지.

김부자는 억울하고 분통이 터져 잠을 잘 수가 없었어. 똥벼락에 파리떼까지 기가 막히고 코가 막힐 노릇이었지. 당분간 파리떼가 무서워 집 근처에는 얼씬도 하지 않기로 했어. 하지만 아무리 생각해도 멀쩡한 집을 코앞에 두고 이런 거지 같은 머슴 집에 있는 자신이 바보 같았어. 똥을 어떻게든 없애야겠다고 생각했지.

그때 마침 코를 파며 지나가는 칠복이가 보이는 게 아니겠어?

"옳지, 저 녀석들이 있었지? 흐흐흐."

김부자의 한쪽 입꼬리가 올라갔지.

다음날 김부자는 장에서 엿을 한가득 샀어. 그러고는 동네 아이들을 찾아다니며 외치기 시작했어.

"엿이요. 꿀맛보다 좋고 둘이 먹다 하나 죽어도 모르는 엿이구나!"

엿 소리에 아이들 몇몇이 김부자 뒤를 졸졸 따라다니더니 그 줄이 금세 장대만큼 길어졌지.

김부자는 아이들 앞에서 엿 하나를 뚝 잘라 자기 입으로 쏙 넣었어.

"어어…. 나도 엿 먹고 싶다."

아이들은 침을 줄줄 흘리며 오물거리는 김부자 입만 쳐다

봤어.

김부자는 이때다 싶어 엿을 흔들어 대며 말했어.

"이 맛나디 맛난 엿 먹을 방법을 알려주마. 저기 똥산이 보이느냐? 저 똥산의 똥을 모두 씻어내면 이 엿을 다 주마."

아이들은 똥산을 바라봤어. 그리고 엿도 한번 쳐다보았지.

똥 한번 쳐다보고 엿 한번 쳐다보고 아이들에게 이런 고역이 어디 있겠어?

"시간이 없다. 냉큼 서두르거라. 나는 여기서 이 엿을 지키고 있을 테니 말이다. 으하하하."

아이들은 작고 여린 손으로 우물에서 물을 퍼 물동이를 나르기 시작했어. 기저귀를 달고 있는 아이부터 열댓 먹은 큰아이까지 김부자의 음흉한 속셈에 넘어가고 말았지. 하지만 아무리 물을 퍼다 부어도 굳어버린 똥은 조금도 씻겨지지가 않았어. 김부자는 나무 그늘에 누워 드르릉 코를 골며 잠이 들었지.

어느덧 해가 지고 있었어. 집집마다 끼니때가 돼도 아이들이 돌아오지 않자 어른들은 아이들을 찾아 나섰지. 그때 우물가를 지나던 칠복이 엄마가 개똥이를 보았어.

"개똥아, 왜 네가 물동이를 나르고 있는 게냐?"

개똥이는 물에 흠뻑 젖어 있었어.

"그게 김부자 영감님이 똥을 씻어주면 엿을 준다고 해서요."

칠복이 엄마는 개똥이 말에 피가 거꾸로 솟는 것 같았지.

"우리 칠복이도 말이냐?"

"네, 이것 좀 머리에 올려주세요. 늦으면 저만 엿을 못 먹을지도 몰라요."

"개똥아, 이제 그만하고 어서 아이들에게 어머니가 걱정하시니 집으로 돌아가라고 전하거라."

칠복이 엄마는 어처구니가 없어 박서방을 찾아갔어. 그리고 그간의 이야기를 모두 했지.

"아직도 정신을 못 차리고 이제는 아이들한테까지 못된 짓을 하다니 도저히 용서가 안되는구만요."

박서방은 김부자를 어찌하면 좋을지 의논하러 도깨비를 찾아갔어.

"그러니까 김부자가 똥을 씻어내려고 아이들에게 그런 나쁜 짓을 했다는 거지? 그럼 뭐 걱정할 것 있나? 그 똥 내가 흔적도 없이 없애주지."

도깨비는 주문을 외우기 시작했어.

"수리수리 마하수리 수수리 사바하 온 세상 우물물아 김부자네로 날아라."

오후 내내 낮잠을 늘어지게 자다 잠이 깬 김부자는 똥산을 바라봤어. 그런데 똥산이 그대로인 거야.

"요런 게으른 녀석들 같으니라고, 엿은 맛도 못 볼 줄 알아라."

김부자는 부리나케 집으로 달려가 겨우겨우 똥산을 올라갔지. 아이들을 혼쭐을 내주려고 말이야.

그때였어. 하늘에서 물이 찔끔 떨어지는 게 아니겠어?

"이제야 제대로 일을 하는 모양이군."

김부자는 하늘을 한번 쳐다보았어. 그런데 하늘색이 심상치 않았지. 푸륵푸륵한 밧줄 같은 것들이 하늘에서 춤을 추더니 순식간에 검은 회오리가 되어 마을의 물이란 물은 모두 빨아들이기 시작했어. 우물마다 물기둥이 치솟더니 회오리 속으로 빨려 들어가 그 크기가 어마어마하게 커지고 있었지. 비바람이 몰아치기 시작했고 김부자는 똥산에 서서 꿈쩍도 못 하고 벌벌 떨고 있었어.

"이건 또 뭐야? 내가 뭘 잘못했다고 또 시작하는 거야?"

말이 끝나기가 무섭게 물기둥 폭포수가 똥산으로 쉴 새 없이 쏟아지기 시작했어. 철철철 콸콸콸 똥산은 금세 모습이 사라지고 똥물이 흘러넘쳤어. 김부자는 똥물에 뒤섞여 물길 따라 어디론가 휩쓸려 갔지.

골짜기를 지나 강을 지나 몇 날 며칠을 흘러 흘러갔어.

그러다 눈앞에 파랗고 거대한 바다가 보였어. 물줄기는 바다로 곧장 향했고 김부자는 깊고 깊은 바닷속으로 가라앉게 되었지.

그러고는 다시 바닷속 회오리에 갇혀 뱅글뱅글 돌다 그만 정신을 잃고 말았어.

눈을 뜬 김부자는 깜짝 놀랐어. 눈앞에 하얀 수염이 무릎까지 내려온 용왕님이 자신을 쳐다보고 있는 게 아니겠어?

"여기가 어디냐? 내가 왜 이런 곳에 있는 거냐?"

용왕님은 김부자를 빤히 바라보다 말했어. 암만 봐도 반성은커녕 자기 잘못도 모르는 것 같았지.

"네 죄를 네가 알렸다."

"뭐요? 죄라니요? 내가 무슨 죄를 지었단 말입니까?"

자라 대신이 묵직한 책을 들고 김부자 앞으로 나오더니 말했어.

"네 죄명은 너무 많아 하나하나 다 말하기가 입이 아플 정도구나!"

용왕님은 반성은커녕 오히려 큰소리치는 김부자에게 벌을 내렸어.

"김부자는 들어라. 사람을 함부로 대하고 거짓말에 아이들까지 이용하려 드는 천하에 둘도 없을 괘씸죄로 엄벌에 처한다. 너는 천 년 동안 용궁 안 똥이란 똥은 모두 말끔히 청소하고 아이들의 기저귀를 빨 것이며 똥거름을 만들어 산호초와 바닷속 꽃들을 건강하게 키우거라. 만에 하나 무엇 하나 소홀하면 네 죗값은 배가 될 것이다."

그 뒤로 김부자는 용궁에서 천년만년 좋아하는 똥을 실컷 보며 살았다지. 아직도 김부자는 용궁에 있으려나….